LA FAMILIA, VALORES Y AUTORIDAD

VOL. II

Serie Escuela para Padres

Coordinación

En La Comunidad Encuentro, A. C.

Colaboradores

Sra. Alejandra Kawage de Quintana
Sra. Paz Gutiérrez de Fernández Cueto
Psic. María Llano de Orozco
Lic. Dolores Martínez Parente
Asesora Pedagógica (SEP)
Dra. Marcela Chavarría Olarte

LA FAMILIA, VALORES Y AUTORIDAD

VOL. II

DE CUARTO A SEXTO DE PRIMARIA

En La Comunidad Encuentro

EDITORIAL TRILLAS

México, Argentina, España
Colombia, Puerto Rico, Venezuela

Catalogación en la fuente

En La Comunidad Encuentro
    La familia, valores y autoridad : de cuarto a
sexto de primaria. -- México : Trillas, 1998.
    v. 2 (205 p.) : il. ; 24 cm. -- (Escuela para
padres)
    ISBN 968-24-3401-7

    1. Familia. - Conducta de vida. 2. Padres e hijos.
I. t. II. Ser.

D- 306.85'E558fv   LC- HQ755.7'E5.36

Derechos reservados
© 1998, Editorial Trillas, S. A. de C. V.,
Av. Río Churubusco 385, Col. Pedro María Anaya,
C.P. 03340, México, D. F.
Tel. 6884233, FAX 6041364

División Comercial, Calz. de la Viga 1132, C.P. 09439
México, D. F., Tel. 6330995, FAX 6330870

Miembro de la Cámara Nacional de la
Industria Editorial. Reg. núm. 158

Primera edición, mayo 1998
  ISBN 968-24-3401-7

Impreso en México
Printed in Mexico

Prólogo

La sociedad en su conjunto se encuentra conformada por las personas que la integran y las comunidades que se entrelazan en una compleja red de mutuas influencias. La familia y la escuela son dos de esas comunidades básicas que comparten las tareas educativas que inciden en la intimidad de los individuos. Si familia y escuela aumentan y mejoran sus capacidades educativas, no cabe duda de que toda la sociedad se verá beneficiada, pues entonces estará formada por personas desarrolladas integralmente.

El pluralismo en que vivimos ofrece criterios de actuación muy variados, de modo que el educador debe prepararse para seleccionar los mejores y lograr el máximo desarrollo intelectual, afectivo y humano, tanto para él como para los receptores de su acción educadora:

> . . .para lograrlo, no se trata de atacar de frente y al por menor cada uno de los fallos que se cometan en el planteamiento de las cuestiones básicas de la existencia humana. Lo más eficaz es esforzarse en no dejar de lado ningún modo de realidad y hacerles justicia a todos con una forma de razonar adecuada: tareas que exigen una actitud de apertura y generosidad, y la voluntad de no ceder a la tentación de entregarse a lo superficial; así la fuerza de la verdad iluminará la mente de cada ser humano, para que cada uno de nuestros conocimientos ostente la forma de racionalidad peculiar que le corresponde.[1]

La labor educativa no sólo requiere preparación técnica, sino el máximo desarrollo humano posible en quienes la ejercen, pues su tarea es como la de un artista, que tiene que aplicar no sólo sus conocimientos, sino también invertir con amor toda su riqueza interior para producir una obra maestra: la vida feliz, el perfeccionamiento de las facultades del educando.

La vida que comienza necesita en sus primeras etapas ejemplos adecuados, modelos de identidad que concuerden con las palabras y con los hechos de quienes la educan, así como también necesita orientación para encontrar

[1] A. López Quintás, *Vértigo y éxtasis. Bases para una vida creativa*, Impresa, Madrid, 1987, p. 22.

los cauces del desarrollo de sus potencialidades, puntos de referencia valiosos que la orienten hacia la verdad sobre sí misma y sobre el mundo que la rodea.

El educador, como todo ser humano, está en proceso de madurez, en vías de alcanzar grados de desarrollo cada vez más altos; por eso es un modelo de esfuerzo más que de logros cabales y perfectos. Los niños y los jóvenes necesitan la integridad de quienes los educan para ser hombres y mujeres íntegros; necesitan contemplar su trabajo esmerado para ser laboriosos y responsables; necesitan tener a la vista su honradez para ser honestos; necesitan advertir su interés por superarse para ser mejores y, por último, necesitan experimentar su capacidad de amor y de amistad para aprender a querer y a ser amigos, novios y esposos leales. Los valores que los educadores procuran integrar en su vida son el mejor ejemplo y la mejor exhortación para animar a los educandos a hacer lo mismo. Se necesitan, pues, auténticos líderes, no sólo en los ámbitos sociales, sino principalmente en las pequeñas comunidades que propician el encuentro humano profundo y enriquecedor, el que contribuye a incrementar las posibilidades de crecimiento para todos.

El principal objetivo del presente trabajo es mejorar la calidad de las relaciones familiares y escolares, de tal manera que puedan generar recursos humanos para enfrentar positivamente los retos de la sociedad contemporánea y formar integralmente a las nuevas generaciones. El trabajo académico, la instrucción, tiene que buscar la excelencia, pero ésta no basta: la educación no será completa si no persigue la excelencia personal, el compromiso con los valores humanos.

Para lograr lo anterior es necesario contar con elementos, ya que hoy se recibe capacitación para la mayor parte de las tareas que se realizan, pero pocas veces se enseña cómo ser personas plenas y auténticas o cómo ser buenos padres. Muchos maestros con gran capacidad didáctica tampoco son conscientes de la importancia de desarrollar las cualidades humanas por medio de la vida escolar y de la interacción con sus alumnos.

Los temas que se abordan en el presente trabajo enfocan planteamientos educativos de fondo, pero inciden también en lo concreto, en las diversas realidades que conforman la vida humana, como son, por ejemplo, los estudios, las relaciones familiares y conyugales, la sexualidad, el conocimiento personal, el manejo adecuado de la autoridad, el desarrollo de la libertad y de la capacidad de amar, el uso de los medios de comunicación, etcétera.

Lograr que las relaciones familiares sean armoniosas, encontrar mejores maneras de comunicarse para que la familia permanezca unida y logre superar las dificultades de la vida, de modo que constituya un verdadero ámbito de amor y de desarrollo para sus miembros, son metas difíciles pero anheladas por todos y vale la pena esforzarse por conseguirlas, por ello se estudian los diferentes ámbitos de relación humana, así como las posibilidades de las relaciones conyugales y de la vida familiar.

Por todo ello, es necesario conocerse a sí mismo y a los educandos, mejorar el ejercicio de la autoridad educativa, enseñar a los jóvenes a utilizar su libertad responsablemente e intentar que en los hogares y en las escuelas se procure crecer en virtudes y en cualidades positivas.

El mundo laboral exige una mayor preparación por cuanto cada vez es más competitivo; por eso los niños y los jóvenes tienen que estudiar más y adquirir habilidades de pensamiento, de aprendizaje, de análisis y de convivencia, para todo lo cual es necesario que los adultos sepan motivarlos y guiarlos.

La familia actual recibe influencias muy variadas de los medios de comunicación; a veces los padres y los maestros se preguntan sorprendidos dónde aprendieron los niños y los jóvenes algunas cosas o dónde obtuvieron determinadas ideas o actitudes que no coinciden con los principios que procuran inculcarles. Educar hoy exige una postura frente a la utilización de los medios de comunicación, es decir, unos criterios para seleccionar los mejores contenidos, de tal manera que esos medios se utilicen para la diversión, el descanso, el crecimiento cultural y la trasmisión de valores.

Todos estamos orgullosos de nuestra herencia cultural, de los valores que nuestros padres y abuelos nos han trasmitido. Ahora nos corresponde trasmitirlos a nosotros: ser padres y maestros es una maravillosa responsabilidad que tenemos que asumir no como una pesada carga, sino como una oportunidad de desarrollo que debemos aprovechar con optimismo, comprometiéndonos con la tarea de formar seres humanos íntegros que participen en la mejora de la sociedad. Si cada familia, con el apoyo de la escuela, logra cumplir su misión educativa formando personas sanas, trabajadoras, honradas y capaces de ayudar a los demás, entonces no debe preocuparnos el futuro.

Además del contenido de los temas que aquí se exponen, el método activo que se utiliza para su enseñanza facilita la participación del lector y ayuda a que se desarrollen las habilidades básicas de un educador; por ejemplo, aprender a analizar problemas y buscarles vías de solución; tomar decisiones; comunicar con claridad; establecer mínimos normativos; clarificar criterios; fomentar la participación, en fin: ejercer plenamente el liderazgo educativo.

¿En qué consiste la tarea del líder educativo? Quizá podría resumirse en dos objetivos: aprender y enseñar a pensar, pero no a pensar fuera del contexto humano que incluye la afectividad y la decisión voluntaria. En palabras de López Quintás: "El entorno peculiar del hombre es el formado por las realidades valiosas que le ofrecen posibilidades de juego."[2] Y no hay realidades más valiosas que las personas, las cuales, al entrar en el juego creativo del diálogo abierto y respetuoso, pero razonador, el que no conduce al dominio ni a la manipulación, crecen en libertad y se enriquecen unas a otras con sus aportaciones.

Pluralidad, libertad, derecho a la propia opinión y a las propias creencias, respeto al derecho de los demás a ser diferentes. . . ¿Quién no está de acuerdo con estos principios básicos de la convivencia? Sin embargo, a veces

[2] A. López Quintás, *El secuestro del lenguaje*, Impresa, Madrid, 1987, p. 35.

es difícil diferenciar lo que es real de lo que es fruto de la imaginación o de la simple opinión, por lo que los líderes educativos deben crear las condiciones básicas para el diálogo, que no es sino la búsqueda común de la verdad sobre el hombre. Cuando algo es valioso o gratificante no se renuncia a ello, se comparte.

En un mundo lleno de opiniones, sólo se alcanzará la verdadera libertad si se sabe distinguir la verdad del error; si se posee una orientación vital que conduzca a emprender tareas importantes, plenas de sentido. Sólo entonces la energía transformadora, la creatividad, puede elevar al hombre por encima de sí mismo.

Todo lo valioso que se presenta ante los ojos tiene que llevar a adoptar una postura activa, a seleccionar y a jerarquizar. Dar preferencia a lo que se considera más importante o imprescindible para la realización personal es una tarea titánica, porque la compleja realidad actual, si algo tiene de desquiciante, es que roba el tiempo para pensar, cuando pensar en una necesidad básica. No se trata de pensar superficialmente, sino de pensar rigurosa y profundamente, de verdad, con fundamentos, lo que se dice pensar bien, para acertar en el camino de nuestra propia vida y, en consecuencia, en la de los educandos.

Aun sin querer podemos vernos arrastrados por el vértigo de lo inmediato: una y mil veces al día nos solicitan múltiples gratificaciones que sólo obedecen a la necesidad de vender, a la competencia, al hacer que algo resulte atractivo. Así se permite cualquier cosa: crear ilusiones, mover los resortes psicológicos, crear necesidades e incluso mentir.

En el terreno de las ideas sucede algo parecido. Hay sistemas de pensamiento que se ofrecen como panacea para resolver los problemas humanos y, a veces, desgraciadamente, se basan más en el ilusionismo mental que en la adecuación de la teoría a la realidad. Así es como engañan y conducen al autoengaño debido a que formulan planteamientos educativos incompletos o reducidos, proponiendo verdades a medias.

Hay que hacerle justicia a la realidad y a sus exigencias, porque tarde o temprano la realidad se impone y a veces se cobra con sufrimiento. El auténtico realista evita cuanto empobrece el concepto de hombre y fomenta todo aquello que enriquece su vida. En este confuso mundo hay que ser hombres y mujeres realistas, y la única manera de serlo es reconociendo que hay valores que nos trascienden, que están por encima de nosotros, de modo que el hecho de aceptarlos eleva a cada uno de los hombres y a la comunidad en la que se desenvuelven. Esto es lo que se llama tener ideales y aspiraciones.

Tener ideales y vivir para ellos es ser realista; es abrirse a la esperanza en lugar de limitarse a ser arrastrado por los sucesos: de lo que se trata es de influir en éstos. Remplazar el tedio por el entusiasmo de construir un futuro mejor en el que realmente se cree, requiere una gran fortaleza, un cotidiano volver a empezar, no obstante el cansancio y los obstáculos: es vivir proyectándose hacia lo que perdura porque realmente vale. Tal es la tarea y la misión del líder educativo, de aquel que es capaz de "formarse, de poner en forma la capacidad de asumir activamente los grandes valores".[3]

Lo decisivo de la educación consiste en saber retomar la experiencia acumulada por la humanidad para elaborar un método de acceso a la realidad que permita proyectar el futuro con garantía de éxito. Éstas son las propuestas educativas del presente trabajo. Son ambiciosas porque no se limitan a lo que en él se consigna, sino que cuentan con la aportación de la riqueza de aquellos que participan en el juego creativo, del diálogo activo, libre y humano, con las ideas, consigo mismos y con los destinatarios de la educación.

Para la capacitación profesional de los maestros que expongan los temas de la serie *Escuela para padres*, comuníquese con la Asociación ENLACE, A. C., tel./fax 662 89 66, con domicilio en Av. Revolución 1387, Col. Campestre San Ángel, C.P. 01040, México, D. F.

[3] A. López Quintás, *op. cit.*, p. 22.

Nota introductoria para el manejo del material

Los maestros pueden organizar Escuelas para padres en sus planteles, invitando a los padres de familia a seguir los cursos de Orientación Familiar.

El presente volumen contiene la programación correspondiente a cursos de siete sesiones, así como el material de apoyo que el profesor o los profesores utilizarán para preparar las sesiones.

En algunas clases es conveniente que los padres de familia cuenten con el material: por ejemplo, cuando se requiera discutir un caso, estudiar un texto o responder un cuestionario: de ser así, se podría reproducir el material necesario a partir del origen del maestro promotor del curso.[1]

---

[1] Si los padres de familia cursaron anteriormente el programa de primero a tercero, las dos primeras sesiones de *Persona y familia*, se pueden sustituir por la tercera de *Felicidad y sufrimiento en la familia*.

Índice de contenido

Primera parte

Persona y familia

Presentación del programa
y su metodología

Objetivo:

Que los participantes conozcan el alcance educativo del programa.

Esquemas de apoyo didáctico:

Anexos 1-4.

Desarrollo del tema (50 min):

Persona y familia: Presentación del programa y su metodología.

1. Introducción.
2. Objetivos del programa de orientación familiar.
3. Cuestionario inicial para los participantes en el programa de orientación familiar.
4. Presentación de los participantes.
5. Metodología participativa. Técnicas diversas.
6. Evaluación final.
7. Conclusión.

Descanso (20 min).

Trabajo individual (10 min):

Resolver el cuestionario inicial para los participantes (pág. 20) y formular las dudas que se presenten.

Sesión plenaria (20 min):

Responder a las preguntas de los participantes.

INTRODUCCIÓN AL PROGRAMA Y SU METODOLOGÍA

EDUCAR HOY, ¿ES DIFERENTE?

Hoy los padres son más conscientes y se muestran más interesados por la educación de sus hijos de lo que lo hicieran en otras épocas.

Lo anterior resulta evidente en la medida en que los cursos sobre educación familiar gozan de amplia aceptación y en que cada vez hay más programas sobre el tema a lo largo y a lo ancho de la República. Los matrimonios jóvenes se preocupan por prepararse y por saber un poco más sobre la educación de los hijos; los matrimonios que no son tan jóvenes se preocupan y se interesan también, aunque por otras razones. Muchas veces los abuelos y los tíos comparten esta inquietud con los padres, y la preocupación no sólo se da en ellos, sino también en los profesores, quienes se han unido a este interés y cuya cercanía a sus alumnos los ha llevado a desear ayudar a los padres a educar a sus hijos.

Así, no podemos menos que plantearnos la siguiente pregunta: educar hoy, ¿es diferente?

NUEVOS RETOS

Hoy por hoy la familia se enfrenta a la crisis desintegradora que experimenta la sociedad: abandonos de hogar, madres solteras, rupturas matrimoniales, drogadicción, alcoholismo, niños abandonados, violencia y abusos de todo tipo, depresiones infantiles, etcétera.

Además, la familia se enfrenta a una nueva visión y a una valoración distinta del mundo. Nuestros padres nos educaron obedeciendo a su intuición natural y guiados, ante todo, por el sentido común (nada despreciable) y por las tradiciones y los valores que les fueron inculcados en el seno de su propia familia. Pero, ¿qué sucede en una sociedad como la nuestra, en la que el sentido común deja de ser algo *común* y en la que vemos tambalearse uno a uno esos principios que parecían tan firmes?

Esta situación descontrola y desconcierta a los padres de familia, que, con la mejor voluntad, tratan de guiar a sus hijos.

Frente a todo esto, hoy se impone educar de una manera diferente.

Hay que fortalecer a los padres para fortalecer a los hijos, pues sólo así podrán forjarse personas, matrimonios, familias y sociedades más sanos y más felices.

PADRES, HIJOS Y MAESTROS: LOS PROTAGONISTAS DEL PROCESO EDUCATIVO

Los padres, titulares de la educación en la familia, deben estar preparados para realizar esta labor. Sin embargo, la familia está limitada para llevar a cabo esta tarea. Es por eso que la escuela, por medio de los profesores, es la instancia específica mejor organizada, la más cercana y la más adecuada para ayudar a los padres en su delicada labor educativa y para ser, junto con ellos y con sus alumnos, los protagonistas del proceso educativo.

Los profesores y los padres deben encarar un reto apasionante: prepararse con mayor profundidad, y con un interés más vivo para la educación *diferente* que se requiere en nuestros días.

OBJETIVOS DEL PROGRAMA DE ORIENTACIÓN FAMILIAR

1. Ayudar a los padres a encontrar los procedimientos y los recursos más acertados y eficaces para la educación.
2. Reflexionar sobre la estrecha colaboración que debe existir entre la familia y la escuela, como agentes educativos.
3. Fundamentar qué es la persona, en qué consisten su dignidad y su inmenso valor, sabiendo que sólo conociéndola profundamente podremos respetarla y educarla.
4. Abordar el tema de la familia, planteando ésta como el ámbito más propicio para la educación por ser, a su vez, el ámbito natural del amor. La familia como el núcleo de la sociedad, es decir, la esfera donde el ser humano se prepara y se desarrolla para vivir en sociedad.
5. Estudiar el tema del matrimonio por cuanto éste es el fundamento propio de la familia. Se indicará cómo mejorar las relaciones conyugales con objeto de mejorar las relaciones familiares que permitan una mejor educación.
6. Motivar a los profesores y a los padres de familia para que redescubran los valores fundamentales del amor, la libertad, el estudio, el trabajo, el patriotismo, la generosidad y la solidaridad.
7. Explicar algunos temas esenciales para el conocimiento de sí mismo y de los educandos:

   a) Las etapas de la educación, o las etapas del desarrollo humano.
   b) El carácter y la personalidad.

8. Invitar a los padres a conocer las influencias ambientales que intervienen actualmente en la educación de los hijos.
9. Fundamentar la autoridad como un factor esencial para educar, animando a los padres a ejercerla con prudencia.
10. Orientar a los padres de familia para que apoyen y favorezcan los estudios de sus hijos, actualizándolos en las técnicas y en los métodos educativos.
11. Ampliar la perspectiva de la responsabilidad ciudadana y social.
12. Educar para la felicidad.

CUESTIONARIO INICIAL PARA LOS PARTICIPANTES EN EL PROGRAMA DE ORIENTACIÓN FAMILIAR[1]

1. ¿Cuál es el principal motivo por el que te inscribiste en este curso?
2. ¿Cómo te enteraste de él?
3. ¿Qué es para ti la familia y la escuela?
4. ¿Consideras que es importante la colaboración estrecha entre padres y profesores? ¿Por qué?
5. ¿Has tenido alguna experiencia en orientación familiar?

PRESENTACIÓN DE LOS PARTICIPANTES

Para facilitar el conocimiento y el trato personalizado, se proporcionará a cada padre de familia un gafete con su nombre.

Al hacer la presentación en foro grupal, cada participante se pondrá de pie y dirá su nombre, sus expectativas del programa y la actividad a la que se dedica.

METODOLOGÍA PARTICIPATIVA. TÉCNICAS DIVERSAS

Los sistemas tradicionales receptivos se caracterizan por su dimensión individualizada; pretenden, efectivamente, que sea el individuo quien aprenda. Los exámenes, el espíritu de comparación y de competencia, así como el sistema de premios empleados son prueba de ello.

La metodología participativa encuentra su más sólido fundamento en actualizar la capacidad de los participantes en lo que toca a trabajar en grupo. De nada sirve socialmente mi saber matemático o físico, por ejemplo, si no soy capaz de integrarme con los que han de trabajar conmigo en la construcción de un puente: no se construye un puente con materiales, sino con hombres, y es a éstos a quienes debo explicarles lo que sé y a quienes debo escuchar para adaptar mis conocimientos a los suyos. La metodología participativa es un esfuerzo por abandonar ese camino de la enseñanza que despoja de contenido social a los conocimientos.

En este programa se aplicarán distintas técnicas de metodología participativa.

---

[1] Estas preguntas deben responderse en una hoja aparte.

Estudio individual

La metodología participativa se fundamenta en el estudio individual de los textos de la serie *Escuela para padres*, que podrán ser adquiridos por el participante.

Es preciso recordar que la riqueza y la profundidad de una sesión grupal depende del estudio individual de los alumnos, el cual será complementado con la reflexión sobre sus propias experiencias.

A partir del estudio individual de los documentos, los participantes pueden:

1. Formular preguntas.
2. Destacar temas o problemáticas de especial interés.
3. Analizar los distintos aspectos de un mismo tema.
4. Plantear los problemas principales de un caso determinado.
5. Aclarar dudas.
6. Profundizar en los distintos conceptos.

La técnica sin la actitud no educa.

Análisis de casos

Consiste en una discusión basada en la lectura de un texto, en el cual se describe una situación real perteneciente al campo de las relaciones humanas y susceptible de ser mejorada. El análisis sirve para el desarrollo de las capacidades y para la modificación de las actitudes de los participantes.

El moderador no comunica sus ideas ni resuelve el caso, sino que enseña a analizar situaciones, a definir problemas, a encontrar vías de solución, etc., por medio de un diálogo dirigido. También se pretende que las aportaciones de cada uno sean aprovechadas por los demás.

La riqueza de una sesión dirigida dependerá de la riqueza de las aportaciones recibidas. Es importante hacer notar que *quien no participa no se integra.*

Durante las sesiones no deben exponerse problemas personales. Habrá oportunidad para hacer consultas particulares cuando así se solicite a alguno de los moderadores. También se podrá consultar a quien dirige la sesión durante el tiempo de descanso.

Los casos que se analizan están tomados de hechos reales, pero se han cambiado los nombres de personas y lugares con el fin de respetar el anonimato.

Trabajo en pequeños grupos

Una vez concluida la discusión de un caso o la exposición de un tema, los participantes se dividirán en grupos pequeños.

Es aconsejable que cada grupo esté integrado por ocho o 10 personas.

Los tipos de tareas a realizar serán previamente explicadas por el expositor y consistirán en:

1. Formular o contestar preguntas.
2. Encontrar soluciones para un problema.
3. Analizar las ideas principales de algún escrito, etcétera.

La eficacia del grupo depende de la actuación del moderador, el cual debe ser respetuoso y crear las condiciones para que todos participen.

El trabajo en equipo es de gran ayuda para quienes no están acostumbrados a hablar en público. Al integrarse varias personas cuyas experiencias son distintas, todos resultan enriquecidos.

El moderador será elegido previamente, de preferencia deberá tener estudios en orientación familiar. Si esto no fuera posible, se elegirá un moderador que destaque por sus cualidades de liderazgo sobre el grupo.

La labor del moderador es fundamental para el buen desarrollo del programa. Él es quien encauza las inquietudes y las necesidades individuales de los participantes mediante el trato personal.

Deberá nombrarse también un secretario que tome nota de las conclusiones (véase el Anexo 1).

Papel del moderador

El moderador puede ser simultáneamente secretario, pero también puede proponer a un participante que desempeñe esa función anotando las ideas fundamentales del tema estudiado y las conclusiones.

Habrá que evitar dirigir excesivamente. El moderador aporta sus propias ideas a la reunión del pequeño grupo, pero ha de estar abierto a cualquier sugerencia que implique una nueva forma de pensar sobre el tema que se está debatiendo.

El moderador debe conciliar. Evitará que una discusión entre dos o más participantes se prolongue demasiado, invitando a los demás a que expongan su punto de vista o proponiendo él mismo una posible solución de lo que se discute.

Si un participante pregunta algo o expone una duda, no siempre ha de ser el moderador el que responda. Procurará invitar a los demás a que lo hagan para que se produzca un diálogo cruzado en cierto orden (véase el Anexo 2).

Conferencia coloquio

Es la exposición oral y pública de un asunto, programa, teoría u opinión, complementada con el diálogo final con el auditorio.

En ella se motiva la participación del público mediante una exposición atractiva y ordenada.

Sesión plenaria

Una vez concluido el trabajo en pequeños grupos, todos los participantes se reúnen nuevamente para la parte final de la sesión, en la que se comentan las posibles soluciones a los casos, se obtienen conclusiones y se aclaran las dudas.

En la sesión plenaria pueden realizarse las siguientes actividades correspondientes al tema desarrollado:

1. Contestar las preguntas.
2. Sostener una discusión general.
3. Discutir el caso a partir de los problemas.
4. Puntualizar las conclusiones.

Véase el Anexo 3.

EVALUACIÓN FINAL

Al término de cada sesión se entregará a cada participante una hoja de evaluación que llenará de manera individual. En ella se apreciará si se cumplieron las expectativas en cuanto a la calidad de la exposición y al desarrollo del tema tratado.

CONCLUSIÓN

El *Programa de orientación familiar* se desarrollará en 10 días, en los cuales se impartirán las 14 sesiones, dando así un total de 30 horas. Al finalizar el curso, el padre de familia contará con los elementos suficientes para mejorar su formación como educador.

La capacitación del padre de familia no termina nunca, antes bien, precisa de una formación continua.

El mejor estímulo para el perfeccionamiento de su labor orientadora serán los cursos de orientación familiar, sus lecturas y sus reflexiones sobre su vida familiar.

ANEXO 1. TRABAJO EN PEQUEÑOS GRUPOS

Moderador:

1. Seguir la dinámica del método.
2. Aprender a escuchar.
3. No dejarse llevar por la subjetividad o por la intuición.
4. Aprender a expresarse con claridad.
5. Identificarse con las ideas de los demás si éstas le convencen.
6. Llegar a conclusiones concretas y positivas.
7. Explicar a los demás lo que no se entienda.
8. Aprender a evaluar la actuación del equipo con miras a una mayor eficacia del mismo.

Objetivos que se persiguen:

1. Mayor participación.
2. Mayor profundización.
3. Mayor rapidez.
4. Mayor facilidad para detectar las dudas.
5. La amistad del grupo.

ANEXO 2. LOS PARTICIPANTES EN UNA REUNIÓN

Analizar los distintos tipos de participantes:

1. *Tipo discutidor*. No dejarse enredar por él. Usar el método participativo para neutralizarlo, dando a otros oportunidad de que hablen para impedir que él monopolice la discusión.
2. *Tipo positivo*. Su colaboración es muy útil en la discusión. Hay que permitir que dé su opinión en todos los casos y recurrir a él frecuentemente.
3. *Tipo sabelotodo*. No hay que defenderlo del ataque de los demás; se permitirá que el grupo comente sus teorías y lo ubique.
4. *Tipo locuaz*. Hay que interrumpirlo con tacto y poner un límite a sus intervenciones.
5. *Tipo tímido*. Se le harán preguntas fáciles y se le infundirá el sentido de la seguridad y la confianza en sí mismo; hay que decirle que *sí* siempre que sea posible; no se recomienda presionarlo.
6. *Tipo ausente*. Hay que actuar con él teniendo en cuenta su orgullo; conviene investigar su conocimiento y experiencia, y utilizarlo como medio para que participe en la reunión.

7. *Tipo cerrado, refractario.* Conviene hacerle preguntas con tino e inducirlo a exponer ejemplos sobre los asuntos que más directamente le pueden interesar.
8. *Tipo pedante.* No es bueno criticarlo; se sugiere usar la técnica del "sí. . ., pero. . .", para no reforzar su actitud.
9. *Tipo zorro.* Tratará de hacer caer en alguna trampa al que dirige al grupo. No hay que dejarse sorprender ni afrontarlo directamente; más bien habrá que dirigir sus objeciones hacia el grupo.

ANEXO 3. SESIÓN PLENARIA

Profesor

1. Estimular la participación.
2. Moderar las intervenciones.
3. Escuchar y hacer reflexionar.
4. No resolver consultas personales en público.
5. Hacer pensar grupalmente.

Participante

1. Solicitar la palabra levantando la mano.
2. Escuchar las opiniones ajenas.
3. Manifestar una actitud de apertura.
4. Animarse a participar.
5. Estudiar.
6. Pensar seriamente lo que va a decir.

ANEXO 4. HOJA DE EVALUACIÓN

Nombre y apellidos: _____

_____

Fecha: _____

Título de la sesión: _____

Nombre del expositor: _____

1. ¿Te parece que los ejemplos que ilustra el caso tienen relación con la realidad?

_____

_____

2. ¿Fueron satisfactorios el ritmo y el contenido de la discusión?

_____

3. ¿Pudiste participar siempre que así lo deseaste?

_____

¿Qué significa ser persona?

Objetivo:

Aclarar el concepto de persona como ser racional, libre, único e irrepetible, cuya dignidad exige un trato respetuoso.

Esquemas de apoyo didáctico:

Esquemas 1, 2, 3.

Desarrollo del tema (40 min):

¿Qué significa ser persona?[1]

1. Introducción: la persona, sujeto de la educación.
2. ¿Qué significa ser persona?

   - Su dignidad.
   - Elementos que componen a la persona.
   - Concepto.
   - El hombre es un ser de necesidades.
   - Función de sus cualidades específicas: inteligencia y voluntad.
   - El papel de la libertad.

3. Conclusión.

Descanso (20 min).

Trabajo en equipo (20 min):

Dividir el grupo en equipos de 10 a 12 personas para realizar el ejercicio que figura en la página 37.

Sesión plenaria (20 min):

Regresar a la sesión plenaria para obtener conclusiones.
El secretario de cada equipo dará las respuestas.
El profesor podrá reforzarlas con los comentarios de apoyo que figuran en la página 38, procurando que cada participante amplíe su reflexión sobre el tema.

---

[1] Se puede trabajar con el video 1, correspondiente al tema *Persona y familia*, lo puede adquirir en Av. Revolución 1387, Col. Campestre San Ángel, C.P. 01040, México, D. F., tel. 662 89 66.

Esquemas de apoyo didáctico

Esquema 1:

La persona

Seres inanimados — Mundo inorgánico

Persona humana

Seres con vida — Vida vegetativa / Vida sensible / Vida racional

El hombre se distingue de los demás seres del planeta por su inteligencia y por su voluntad libre.

Esquema 2:

El hombre: unidad orgánica, racional y social		
El hombre posee	*Por tanto, tiene*	*Todo esto configura su*
Un cuerpo	Sensaciones, tendencias instintivas, desarrollo orgánico, capacidad de movimiento, emociones.	
	↑	Temperamento
	Sentimientos.	
	↓	
Inteligencia	Pensamientos, razonamientos, ideas, ideales.	Carácter
Voluntad libre	Decisiones, acciones.	Personalidad

Esquema 3:

PIRÁMIDE DE NECESIDADES SEGÚN A. MASLOW

Todo esto soy yo

* Maslow denomina a las necesidades superiores "de autorrealización"; pedagógicamente parece más conocimiento denominado "de autoperfeccionamiento".

INTRODUCCIÓN:
LA PERSONA, SUJETO DE LA EDUCACIÓN

Platón afirma que educar consiste en imprimir al cuerpo y al alma toda la perfección de que son capaces. Es obvio que el ser humano nace inacabado, y ello no sólo desde el punto de vista físico (ya que tienen que pasar muchos años para que el cuerpo llegue a desarrollarse en plenitud), sino también en los aspectos afectivo, intelectual y social. La vida debe ser progreso y vivir es perfeccionarse.

La acción educativa es, por tanto, una acción de ayuda en el proceso de la mejora personal del otro.

La persona, que es el sujeto de la educación, es quien se perfecciona. Existe, pues, una relación íntima entre *educación* y *persona*. Estrictamente sólo puede educarse a las personas. A los animales se les adiestra a base de estímulos, pero a las personas, en cambio, se les educa ayudándoles a utilizar su capacidad de razonamiento y a ejercitar su voluntad con responsabilidad. Para comprender por qué sólo puede educarse a la persona, se requiere saber lo que es una persona humana.

¿QUÉ SIGNIFICA SER PERSONA?

Después del nacimiento de un niño sería muy útil ver aparecer el *manual de instrucciones*, es decir, un folleto explicativo que nos indicará su funcionamiento, sus características esenciales, las mejores condiciones para su desarrollo, etc. La realidad es que nunca hemos visto ese manual, y ello a pesar de que un niño es algo mucho más delicado que una licuadora o un vehículo.

Su dignidad

La dignidad de la persona está enraizada en su calidad, por cuanto su naturaleza es superior a la del resto de los seres vivos.

A los seres humanos les corresponde llegar libremente a ser mejores, a edificarse a sí mismos y a crecer desde el interior valiéndose de ayudas externas, así como a hacer de toda su vida un proyecto de desarrollo y acceder a la perfección por medio de la práctica de las virtudes, es decir, de hábitos buenos.

Pues bien, vamos a profundizar en lo que es la persona a partir de los siguientes puntos:

1. ¿Cuáles son los elementos que la componen?
2. ¿Cómo se define?
3. ¿Qué cualidades la distinguen de los demás seres?

ELEMENTOS QUE COMPONEN A LA PERSONA

El hombre participa de la naturaleza de los seres puramente materiales, como son las rocas. Así, podemos definirlo como todo aquello que ocupa un lugar en el espacio, si bien el hombre es algo más que pura materia.

El hombre también participa de la naturaleza de los vegetales, ya que como ellos nace, crece, se reproduce y muere. Pero, evidentemente, el ser humano no es sólo un ser vegetal, sino algo más.

El hombre también participa de la naturaleza de los animales: no sólo nace, crece, se reproduce y muere, sino que se desplaza y, como los animales, posee instintos y afectividad.

Pero además, el hombre vive inmerso en el universo y su existencia se encuentra relacionada con los seres del macro y del microcosmos, de los cuales necesita para poder vivir, ya que requiere aire y agua, animales y plantas, de modo que debe lograr el equilibrio ecológico indispensable para la supervivencia.

Percibimos, sin embargo, que el hombre es el ser más perfecto de la naturaleza debido a que es racional: es decir, posee una inteligencia y una voluntad libre.

Los animales hacen cosas maravillosas, pero las hacen por instinto y siempre de la misma manera: la abeja, su panal; los castores, sus diques y la golondrina su nido.

Sólo el hombre es capaz de pensar y de determinar el rumbo de su vida; sólo en él caben el progreso y la historia.

Existen estudios sorprendentes sobre la abeja o el delfín, pero sólo del hombre podemos escribir una biografía individual porque cada persona es única e irrepetible.

Por esta diferencia esencial con los demás seres que lo rodean, podemos afirmar que el hombre es el rey del universo y es quien está destinado a ordenarlo todo con su inteligencia y el trabajo de sus manos, por medio de la técnica y la ciencia.

Su misión es ordenar, no manipular; de aquí la responsabilidad de una educación ecológica que ayude al hombre a vivir en armonía con la naturaleza para aprovecharla, no para explotarla irracionalmente.

CONCEPTO

De esta primera aproximación podemos concluir que el hombre es *persona*.

La persona es ese yo a quien atribuimos todo lo que hacemos y pensamos.

Como lo hemos visto, a pesar de la variedad de elementos que lo componen (físicos, psicológicos, intelectuales), el hombre posee una unidad de mando, es decir, un solo principio de operación. Por ejemplo, si en una tienda tropiezo por descuido con un jarrón y lo rompo, no se me ocurre decir "Yo no fui, fue mi pie". Es la persona quien responde por todas las acciones que realiza.

Cuando me duele una muela *me duele a mí*, y por ello toda mi persona se ve afectada.

La persona es el yo que impera y actúa.

Del concepto de persona se deriva el término *personalidad*, de manera que decimos que tiene personalidad quien ha sabido ordenar todas sus tendencias bajo el mando único de la razón; en cambio, quien carece de personalidad se deja dominar por los caprichos momentáneos.

La racionalidad propia y exclusiva del hombre es lo que lo caracteriza, dándole ese rango superior al de los demás seres vivos.

El hombre es un ser de necesidades

Situado en el tiempo y en el espacio, el hombre se ve obligado a atender las exigencias de su propia naturaleza. Éstas se manifiestan en forma de *necesidades*. Mientras más básicas sean estas necesidades, ellas se expresarán con mayor intensidad. Tomemos como ejemplos el hambre, el sueño o el dolor, los cuales resulta urgente satisfacer para asegurar la supervivencia.

Podemos clasificar las necesidades de la siguiente manera:

Necesidades fisiológicas

Las necesidades corporales se manifiestan en forma de sensaciones y de deseos como el hambre, el sueño, el frío, etcétera.

De todos los seres vivos, el hombre es el que nace más desprotegido. Mientras los animales son capaces de ponerse de pie a los pocos minutos de haber nacido y de buscar por sí mismos el alimento, el bebé humano permanece indefenso, depende de los demás para su alimentación, abrigo y cualquiera otra clase de cuidados.

Las necesidades físicas pueden ser:

1. *Vitales primarias*, a nivel individual, tales como: comer, dormir, abrigarse, procurar la salud (por cuanto su descuido significa la muerte), etcétera.
2. *Vitales secundarias*, a nivel individual: la actividad sexual es una necesidad vital secundaria para el individuo, de tal manera que puede

prescindirse de las relaciones sexuales temporal o indefinidamente. Sin embargo, la actividad sexual es una necesidad vital primaria para la especie humana, ya que de esta manera asegura su conservación.

La naturaleza, para asegurar la satisfacción de las necesidades vitales, procura el deseo que es previo a su satisfacción y el placer que acompaña a su satisfacción.

El placer es el resultado de una necesidad satisfecha, no un fin en sí mismo.

Buscar el placer como un fin en sí mismo rompe el equilibrio antropológico y puede traer graves consecuencias para la salud. Por ejemplo, comer y beber en exceso, únicamente por el placer que estos actos proporcionan, trae como consecuencia una serie de trastornos digestivos y de desequilibrios neuronales.

Por tanto, es indispensable respetar el funcionamiento biológico, utilizando cada órgano del cuerpo de acuerdo con su función. Cada aparato de nuestro organismo tiene su función específica. Así, el aparato digestivo tiene a su cargo la nutrición y el crecimiento; el aparato respiratorio oxigena la sangre, y el aparato reproductor está ordenado al fin unitivo entre varón y mujer, cuyo objeto es la procreación.

Desordenar estas funciones constituye un atentado contra el equilibrio antropológico. No se puede alterar el funcionamiento del organismo sin ocasionar graves desequilibrios físicos, emocionales y sociales: el sida, el uso de drogas, el alcoholismo y la desintegración familiar son algunas de las consecuencias de esta alteración.

Necesidades de seguridad

El requerimiento de seguridad se manifiesta en la necesidad de sentirse amado, comprendido y aceptado, y se expresa de forma distinta de acuerdo con el temperamento y el carácter de cada individuo.

Estas necesidades, si bien no se expresan con tanta urgencia como las físicas, no por eso son menos importantes para el desarrollo armónico del ser humano.

René Spitz, psicólogo estadounidense, realizó un estudio con niños de orfanatorios, quienes a pesar de tener satisfechas todas sus necesidades físicas carecían de afecto. Ello afectaba seriamente su bienestar general, llevando a algunos a la muerte.

El ser humano, para su equilibrio y su crecimiento armónico, no sólo necesita saberse amado, sino también

sentirse amado

con un amor que sea *afectivo* y *efectivo*.

¿Qué clase de amor es aquel que de alguna manera no se manifiesta sensiblemente ni se comunica?

FUNCIÓN DE LAS CUALIDADES ESPECÍFICAS DEL SER HUMANO: INTELIGENCIA Y VOLUNTAD

Necesidades sociales

Para la persona es indispensable pertenecer a un grupo: familia, sociedad, nación. . .

La persona es también un ser social porque es capaz de relacionarse con los demás y porque necesita de su ayuda.

No se puede entender a la sociedad sin la persona ni a la persona sin la sociedad. Por eso la persona es sujeto de derechos y deberes: sus actos tienen trascendencia y son de responsabilidad tanto personal como social.

Pertenecer a un grupo familiar es lo más natural para la persona, ya que la existencia humana tiene un carácter familiar, es decir, surge en el seno de esa comunidad primaria que es la familia.

Necesidades del yo: la autoestima y la propia reputación

El ser humano necesita amarse a sí mismo y saberse amado por quienes lo rodean. La valoración de nuestra propia persona es el comienzo para la valoración de los demás.

Una parte del concepto que la persona tiene de sí misma surge de lo que los demás opinan de ella. Por eso, si se desea que un hijo tenga un buen hábito —por ejemplo, que sea ordenado, responsable o sincero—, hay que suponer en él esa virtud para que se identifique con las expectativas que se tienen de él.

Una de las cosas más profundas que podemos decirle a otra persona es "Espero de ti" o "Creo en ti". Estas palabras motivan que nos aproximemos a lo que se espera de nosotros.

El niño trata de cumplir con las expectativas que se tienen de él.

Si lo que se espera del niño es negativo, entonces también identificará su actuación con esa expectativa.

Necesidades de autoperfeccionamiento

Por su inteligencia el hombre piensa, reflexiona, experimenta la necesidad de saber, de aprender y de descubrir la verdad.

Por su voluntad libre, el ser humano tiende a conseguir aquello que su inteligencia le presenta como bueno.

La voluntad es como el motor de la inteligencia. Gracias a estas dos facultades el hombre es un ser abierto al universo, dado que cuenta con la posibilidad de *conocer* y de *querer*. Veamos un ejemplo: la piedra es un ser cerrado, hermético, incapaz de abrirse y de conocer. Por su parte, los animales poseen más apertura: por medio de sus sentidos se ponen en contacto con el mundo exterior, e incluso son capaces de relacionarse con otros animales o con el hombre mediante expresiones de afecto o de agresividad. Sin embargo, estos seres permanecen dentro de los límites de la necesidad y del instinto. Así, si un tiburón se encuentra con Juanito, nadando en el mar, y no se lo come, ello no se debe a que el tiburón sea bueno, sino simplemente a que no tiene hambre o no se siente agredido.

El animal actúa siempre por el impulso más fuerte que le dicta su naturaleza irracional, trátese del hambre o del instinto de conservación de la especie.

Solamente el hombre, por la razón, es capaz de dar ese salto abismal al mundo del conocimiento y del amor, y de superar la barrera del mundo de la necesidad.

1. El hombre satisface su hambre, pero es el único ser que ha desarrollado un arte culinario.
2. Se resguarda de la intemperie creando un espacio arquitectónico.
3. Procrea y, al procrear, ama y es capaz de establecer relaciones permanentes y de formar una familia, ya que el hombre tiene también necesidades sociales.

Como lo expresó *madame* Curie:

No podemos confiar en construir un mundo mejor sin mejorar a los individuos.

Con ese propósito, cada uno ha de esforzarse por alcanzar su propio perfeccionamiento aceptando, en el conjunto de la vida social, su parte de responsabilidad.

La persona es un ser de aportaciones y su máxima realización la alcanza al dar lo mejor de sí misma, ya sea por medio del arte, de la ciencia o del trabajo.

EL PAPEL DE LA LIBERTAD

Hemos dicho que la persona es un ser perfectible destinado a ser cada día mejor. Eso depende en gran parte del uso que se haga de la libertad.

Los grandes acontecimientos son el fruto de muchas decisiones tomadas en la estrechez de la vida cotidiana.

El valor de una persona no depende de sus condiciones, sino de sus decisiones.

VÍCTOR FRANKL

Una persona puede mejorar o deteriorarse día a día según el buen o el mal uso que haga de su libertad. Por la libertad la persona es dueña de sí misma y no es lícito *usarla* ni manipularla. Por esto, a todos les repugna la esclavitud y el abuso, ya que éstos van en contra de la dignidad de la persona, quien es esencialmente libre.

CONCLUSIÓN

Éste ha sido un primer acercamiento al conocimiento de la persona. Se ha tratado de explicar que el ser humano (hombre o mujer) es el ser más perfecto del universo gracias a su inteligencia y a su voluntad libre.

La libertad no es posible sin el entendimiento. Para obrar por instinto no hace falta pensar lo que debemos o no debemos hacer; en cambio, para que un acto sea libre es preciso que sea deliberado, es decir, previamente pensado o meditado. Hace falta, por tanto, tener entendimiento para poder obrar con libertad.[2]

Esta superioridad del ser humano sobre los seres vegetales y los animales es lo que se llama *dignidad de la persona*.

Esta categoría o dignidad de toda persona es completamente independiente de la situación en que uno pueda hallarse y de las cualidades que

[2] A. Millán Puelles, *Persona humana y justicia social*, Minos, México, 1990, p. 13.

posea.[3] Dicha dignidad también la poseen las personas con deficiencias mentales o físicas.

Como es algo que existe en cualquier hombre, la dignidad de la persona no es superioridad de un hombre sobre otro, sino la de todo hombre, en general, por el solo hecho de ser tal.

Al considerar a la persona como una unidad, se ha de atender a todas sus necesidades sin despreciar ninguna, tomando en cuenta que tener una auténtica personalidad consiste en ordenar todas las tendencias conforme a la razón.

Para realizarse como persona son indispensables el respeto y el cuidado del cuerpo, con todas sus funciones, procurando que cada una de ellas sea satisfecha, de acuerdo con su finalidad específica.

La naturaleza está al servicio del hombre, por lo que es necesario preservar su armonía en lugar de manipularla o explotarla irracionalmente. Hay que buscar el equilibrio ecológico y cuidar el ambiente para que nuestro entorno también sea *humano*.

TRABAJO EN EQUIPO

Anotar al final de cada pregunta una *A* si la afirmación es aceptada por ti, y una *R* si es rechazada.

El trato personal consiste en:

1. Tomar en cuenta la opinión de los demás.
2. Insultar cuando no se entiende.
3. Imponer la opinión personal.
4. Saber escuchar.
5. Dejar que cada quien haga lo que quiera sin exigirle o corregirlo.
6. Crear un ambiente de confianza.
7. Favorecer que los alumnos lean todo lo que caiga en sus manos.
8. Orientar en la selección de las lecturas para que lean lo mejor.
9. Permitir que los niños den rienda suelta a sus deseos.
10. Conceder caprichos.
11. Mirar a los ojos.
12. Imponer gustos.
13. Fundamentar lo que pienso y escuchar lo que piensan los demás.
14. Tratar mejor a quien *aparenta tener* más.
15. Imitar lo que hacen todos.
16. No expresar los sentimientos hacia los hijos o el cónyuge.
17. Apoyarse en las capacidades y cualidades.
18. Tratar a todos por igual.

[3] *Ibid.*, p. 16.

19. Corregir en público a los niños.
20. Aceptar a los demás como son.
21. Recalcar los defectos.
22. Compartir las experiencias con los demás.
23. No tolerar los defectos ajenos.
24. Favorecer el ejercicio de la voluntad.
25. Facilitar espacios exclusivos para cada uno en la medida de lo posible: cajón, armario, escritorio, etcétera.

COMENTARIOS DE APOYO A LA SESIÓN PLENARIA

Recuerde: la letra *A* significa aceptación y la *R* rechazo.

1. *A* El hombre es un ser de aportaciones. Todos somos capaces de aportar algo valioso.
2. *R* El insulto humilla y dificulta aún más la comprensión.
3. *R* Es cerrarse a la convivencia y a posibles soluciones, quizá mejores que las nuestras.
4. *A* Es señal de sabiduría oír siempre "las dos campanadas".
5. *R* La exigencia positiva es parte del amor verdadero.
6. *A* Confiar en el otro es la mejor motivación para que sea mejor.
7. *R* La verdad es el *alimento* de la inteligencia. Hay que fomentar lecturas de calidad y con criterios rectos.
8. *A* Hay tanto material impreso que la vida no da para leer todo lo que apetece; es necesario elegir lo más valioso.
9. *R* El animal se mueve sólo por instintos y el hombre lo hace por la razón.
10. *R* La falta de una exigencia razonable no ayuda a la persona a superarse.
11. *A* La mirada es capaz de detectar los problemas a tiempo y de comunicar afectos profundos.
12. *R* Es no tomar en cuenta que el otro tiene derecho a ser diferente.
13. *A* No se trata de vencer por la fuerza, sino de convencer por la razón.
14. *R* La persona vale por lo que *es*, no por lo que *tiene*.
15. *R* Es propio de borregos, no de hombres.
16. *R* No basta *saberse amado*: hay que *sentirse amado*.
17. *A* Apoyarse en lo positivo.
18. *R* Si las personas son distintas, entonces el trato ha de ser distinto, lo que no quiere decir despreciar o alabar.
19. *R* La represión en público humilla y, por tanto, bloquea la capacidad de mejora.
20. *A* No quiera cambiarlo, ayúdelo a ser mejor.

21. *R* Es inútil apoyarse en errores o en defectos: hay que reforzar lo positivo.
22. *A* La comunicación positiva enriquece.
23. *R* El hombre no es perfecto, aunque sí es perfectible.
24. *A* La voluntad se fortalece cuando se rige por los dictados de la razón y no a los del mero capricho.
25. *A* Fomenta el orden y favorece el desarrollo de la intimidad personal.

3

Felicidad y sufrimiento en la familia

Objetivos:

1. Reflexionar sobre cómo, lo mismo que puede engrandecer al ser humano puede degradarlo.
2. Comprender que la felicidad se realiza en la totalidad del ser y que nunca es alcanzada con plenitud.

Esquema de apoyo didáctico:

Esquema 1.

Desarrollo del tema (50 min):

Felicidad y sufrimiento en la familia.

1. La felicidad como objetivo.

   - El hombre desea la felicidad.

2. Felicidad e infelicidad.
3. Naturaleza de la felicidad.
4. "Deseo que mis hijos sean felices."
5. Cuatro actividades.
6. La alegría es una conquista.
7. Optimismo y buen humor.

Descanso (20 min).

Trabajo en equipo (20 min):

Analizar las cuatro frases de Séneca citadas en el texto y mencionar las consecuencias que pueden extraerse de ellas, así como algún hecho de la vida práctica en que las hayamos visto cobrar realidad.

Sesión plenaria (10 min):

Obtención de conclusiones en grupo.

Esquema de apoyo didáctico

Esquema 1:

1. Todos los seres humanos estamos de acuerdo con una idea: que deseamos la felicidad. Ésta es una aspiración universal, pero, ¿dónde o cómo encontrarla?
Al parecer, en las respuestas, que damos a esta pregunta, ese acuerdo cesa de ser unánime.
2. ¿Por qué la felicidad es un objetivo que nunca se logra con plenitud?
3. ¿Qué persigue el hombre de nuestra época?

   a) ¿La seguridad?
   b) ¿El placer?
   c) ¿La felicidad?
   d) ¿Sobrevivir?
   e) ¿El bienestar material?

4. Dimensiones del sentido del humor:

   a) En el corazón: comprensión
   b) En la voluntad: alegría.
   c) En el entendimiento: ingenio.
   d) En el alma: esperanza.

LA FELICIDAD COMO OBJETIVO

El hombre desea la felicidad

Todos los seres humanos están de acuerdo con que lo que quieren es ser felices; pero discrepan cuando se trata de determinar en qué consiste la felicidad.

El objetivo final de la educación es la felicidad.

La aspiración a la felicidad es universal, es decir, la poseen todos los seres humanos. Aunque es un deseo único, esta tendencia se dirige a objetos múltiples: todos quieren ser felices, pero no todos saben cómo lograrlo.

Hay muchas cosas que dan felicidad, pero ninguna de ellas puede colmar plenamente nuestro anhelo porque el deseo de la felicidad es infinito; no importa en qué medida logremos poseerla siempre ambicionaremos ser cada vez más felices.

El deseo de felicidad es específicamente humano. Solamente la persona "es capaz absolutamente de ser feliz o infeliz. Sería un abuso del lenguaje si se quisiera llamar feliz a un animal".[1]

En efecto, si alguien afirmara que los animales son felices, al hacerlo así mostraría tener un concepto muy pobre de la felicidad o un concepto muy estrecho del hombre.

En su libro, *De la vida feliz*, Séneca escribe lo siguiente: "Vivir feliz, hermano Galión, todo el mundo lo desea; pero descubrir en qué consiste lo que hace la vida feliz, nadie lo ve claro; y es tan difícil conseguir la felicidad, que cuanto con más ardor la buscamos, más nos alejamos de ella a poco que nos apartemos del buen camino."

Luego procede a explicar lo que para él es una vida feliz:

> Una vida feliz es, pues, la que está de acuerdo con la naturaleza, y se llega a ello si el alma primero está sana y en perpetua posesión de ese estado de salud; después, valiente y enérgica; luego admirablemente paciente, dispuesta a cualquier acontecimiento, ocupada, sin inquietud del cuerpo y aquello que le concierne y, en fin, industriosa para procurarse otras ventajas que adornan la vida, sin admirarse de ninguna, dispuesta a usar los dones de la fortuna sin someterse a ellos.

FELICIDAD E INFELICIDAD

Si la felicidad es exclusiva del hombre, entonces ella se referirá a lo que es específicamente humano. Es decir, la felicidad estará relacionada con la vida interior del hombre. Así, cuanto más plena sea la dimensión de la vida interior de un hombre, tantas más oportunidades encontrará para ser feliz.

Sin embargo, la posibilidad de ser feliz implica que también se puede ser infeliz.

El desconocimiento del espíritu o su mutilación podría convertirse en un atentado contra el mismo hombre. En el caso de la felicidad, dado que ésta se relaciona con el espíritu humano, ¿qué cabría esperar si el concepto de hombre se reduce a la materia? La respuesta es obvia: desaparecerían las oportunidades de ser feliz. Más aún, el mismo deseo de felicidad sería entonces el mayor tormento. Se buscaría satisfacer ese deseo de modo animal, es decir, con objetos sensibles, materiales. Y al no poder colmarse nunca, ese deseo frustrado de felicidad sería la más dolorosa experiencia. El ser humano proseguiría incesante e inútilmente esa búsqueda, siempre insatisfecho y experimentando un fracaso tras otro.

En este sentido se dice que "la primera condición de la felicidad es no buscarla",[2] es decir, no hay que buscar la felicidad como se busca saciar un apetito corporal, como si se procurara calmar la sed o el hambre.

La felicidad es pues, una realidad espiritual y, como tal, nos obliga a dis-

[1] J. Pieper, *El ocio y la vida intelectual*, Rialp, Madrid, 1974, p. 230.
[2] G. Thibon, *Sobre el amor humano*, Rialp, Madrid, 1965, p. 159.

cernir entre los bienes aparentes y los que lo son realmente. Lo que se percibe por los sentidos puede ser engañoso.

Para muchos, la ciencia se erige como criterio de verdad, pero el paso del tiempo ha demostrado que una de las cosas más cambiantes es la ciencia: lo que ayer se daba por verdadero pone de manifiesto su falsedad al producirse nuevos conocimientos y adelantos.

La espiritualidad no puede ser objeto de una comprobación directa y empírica, como lo es el mundo físico; no es comprobable experimentalmente y por eso ofrece posibilidades de error. Sin embargo, la realidad espiritual le es accesible al hombre debido a que éste posee en su propio ser la capacidad para ser receptivo a este orden de la existencia, a saber: su propio espíritu.

NATURALEZA DE LA FELICIDAD

Saber que la felicidad es de naturaleza espiritual significa saber algo importante sobre ella, si bien no lo suficiente. Es preciso saber, además, cómo conseguirla.

Las diversas facultades intelectuales de la persona están ordenadas a realizar varios actos: conocer, querer y recordar.

Los actos de la memoria se originan en los actos del entendimiento (conocer) y de la voluntad (querer). La persistencia de un recuerdo depende estrechamente de que queramos recordarlo.

Se quiere lo que se conoce.

Primero se ha de plantear esta pregunta: ¿Cuándo poseo más plenamente una cosa: cuando la quiero o cuando la conozco?

Si ser feliz es un estado de vida interior de la persona, entonces en ella tendrá que intervenir también la voluntad. Pero, ¿qué cosas son queridas por la voluntad? La respuesta es una: las cosas *buenas*. Se quiere algo en la medida en que es bueno; sin embargo, en este punto podemos confundirnos.

Existen bienes aparentes.

Podemos establecer, por tanto, que la prosecución de la felicidad obedece a dos movimientos iniciales:

1. Conozco algo.
2. Dado que lo conozco como bueno, lo quiero.

En este proceso interviene íntegramente nuestro ser: cuerpo y espíritu en igual medida.

Pero no todo conocimiento proporciona felicidad: conocemos cosas que nos hacen infelices.

El conocimiento que lleva a la felicidad se caracteriza por lo siguiente:

1. Es un conocimiento que mueve a la voluntad para querer el bien conocido.
   Es un conocimiento que ve con los ojos del espíritu.
2. Ese conocimiento se transforma en amor a lo conocido. Feliz es quien *ve* o *contempla* lo que ama. La presencia de lo amado es lo que nos hace felices. Es decir, que sin amor no hay felicidad.[3]

Este tipo de conocimiento se llama *contemplación* y es encendido por el amor. Contemplar es descansar mirando lo amado. Cuanto más bueno sea el ser contemplado, tanto más podrá ser amado. Ahora bien: todas las cosas tienen un grado de bondad, de modo que de éste dependerá el grado de felicidad que puedan proporcionar.

Buscar la felicidad, entendida ésta como placer, puede ser una fuente de errores.

Otras veces se confunde la felicidad con la satisfacción. Las personas que sólo buscan su satisfacción, cuanto más la alcanzan más vacías se quedan. Su búsqueda continua conduce a una dolorosa insatisfacción.

Séneca afirma:

> El fundamento inmutable de la vida feliz es la rectitud y la firmeza de juicio. Entonces, en efecto, es el alma pura y libre de todo mal, capaz de evitar no sólo los desgarramientos, sino también los arañazos; decidida a mantenerse siempre en el mismo punto en que se detuvo, y hasta defender su postura contra los furores y los asaltos de la fortuna.[4]

"DESEO QUE MIS HIJOS SEAN FELICES"

Preguntémosle a un abogado: "¿Qué quiere usted de ese alumno?" Seguramente nos responderá: "Que sea un magnífico abogado."

Si le preguntamos a una madre de familia: "¿Qué quiere usted para su hijo?", ella nos dirá sin titubear: "Que sea feliz."

Ahora bien, cuando como padres nos preguntamos: "¿Qué debo hacer para que mis hijos sean felices?", no olvidemos que primero hay que preguntarse: "¿Conocen mis hijos lo que es bueno y digno de ser amado?"

Hay personas que *ignoran* qué es lo bueno: no conocen lo bueno. Otras se muestran *indiferentes* o *apáticas* para querer el bien.

Como conocer y querer acostumbran ir unidos, sucede con frecuencia que quien desconoce lo bueno también lo desprecia.

La *infelicidad* obedece en algunas ocasiones a una falta de conocimiento y a una falta de voluntad.

[3] *Cfr.* J. Pieper, *op. cit.*, p. 297.
[4] Séneca, *De la vida feliz III*, citado por J. L. García Garrido, *La filosofía de la educación de Lucio Anneo Séneca*, Biblioteca Autores Contemporáneos, Madrid, 1969.

$$\text{Infelicidad:} \begin{cases} \text{Por ignorancia.} \\ \text{Por apatía ante el bien.} \end{cases}$$

$$\text{El hombre feliz:} \begin{cases} \text{Conoce lo bueno.} \\ \text{Ama el bien real.} \end{cases}$$

Sin embargo, la felicidad es una meta que nunca se alcanza plenamente.

Si tenemos en cuenta cuanto hasta aquí se ha dicho, se verá la necesidad de que los padres sepan en qué consiste la verdadera felicidad, ya que la tarea orientadora empieza y termina en ellos.

La educación para la felicidad sólo se consigue naturalmente en la educación familiar.

Cuando se es feliz, aunque sea a un nivel de sobrio contento, se es plenamente feliz respecto al propio ser. Cuando hace calor y recibo aire fresco, con ello se alegra todo mi ser.

Si la felicidad se realiza en la totalidad de nuestro ser, cabe pensar que ahí donde yo soy más plenamente yo mismo es donde abundan las oportunidades para ser feliz.

En el seno de la familia es donde soy más plenamente yo mismo, porque en la familia se quiere a las personas como son, sin condiciones.

Por tanto, puede hablarse de la familia como el ambiente donde se puede ser feliz con mayor naturalidad y educarse para la felicidad.[5]

Quienes triunfan son personas comunes y corrientes, que han sufrido también y que saben lo que es tener hambre y padecer necesidades físicas o espirituales. A estas personas muchas puertas les fueron cerradas, pero siempre creyeron que *cuando se cierra una puerta, se abre una ventana.* La vida no fue fácil para ellas pero consideraron las dificultades como una alegre aventura a superar. Cuando encontraron cerrada una puerta fueron a tocar a la puerta siguiente, y cuando sintieron que el éxito se alejaba caminaron un kilómetro más sin desanimarse. Como resultado, el éxito terminó rindiéndose a su perseverancia.

CUATRO ACTIVIDADES

Existen cuatro actividades que conducen a la obtención de la felicidad:

1. *Conocer.* En efecto, no se puede amar lo que se desconoce. En primer lugar, debemos conocernos a nosotros mismos: me conozco si

---

[5] Hasta aquí nos hemos basado en la obra de Francisco Altarejos, *Educación y felicidad*, EUNSA, Pamplona, 1985.

me propongo metas alcanzables; me desconozco si me propongo objetivos que están fuera de mi alcance.

2. *Querer.* Al apetecer algo lo reconozco como bueno. Aquí debe incluirse la aceptación de la propia persona y de los demás. Alguien puede decir: "Quisiera que mi esposa fuera *Miss* Universo"; pero como no lo es, sólo cabe aceptar la realidad. En la medida de mi aceptación seré feliz.

3. *Poseer, conquistar.* En primer lugar, se trata de poseerse a sí mismo de controlarse y dominarse. Quien no se posee no puede entregarse. Se pueden poseer muchos conocimientos, mucha cultura y muchas cosas que dan bienestar, pero lo más valioso son las personas y la única forma de *poseerlas* es el amor.

4. *Participar.* El bien es difusivo. Cuando se posee un bien éste se desea para los demás. Si alguno ve una película muy buena, la comenta en seguida y desea que los demás participen de ese bien. Lo mismo acontece con una buena lectura o con un deporte que nos apasiona.

LA ALEGRÍA ES UNA CONQUISTA

La alegría como virtud y la felicidad como meta del hombre están desapareciendo del planeta. Cada vez son menos las personas que sonríen.

Los hombres de hoy desconfían en la lucha por conseguir la *felicidad*, y es principalmente por ello por lo que sólo persiguen la *seguridad*.

La dureza de la vida parece imponer su ley, pues el hombre se desconcierta ante una situación que no acaba de descifrar y menos dominar.

Algunos sociólogos y los economistas piensan que la tristeza se origina en el miedo a perder el nivel económico alcanzado. Parece, así, que todo gira alrededor de la pregunta: ¿Qué sentido tiene esforzarse si todo está a punto de perderse?

Lo que importaría entonces sería gozar el instante, pero entonces la pregunta se hace más inquietante aún: ¿Qué es, exactamente, gozar?

La crisis de la inteligencia produce la bancarrota de la voluntad: el bien, la belleza y los valores aparecen oscuros y lejanos. De ahí la apatía y la indiferencia de tantos hombres y mujeres de nuestra época. Y es que la alegría y la felicidad no se compran: se conquistan. Ahora, sin embargo, parece que algunos quieren venderlas.

Estrictamente hablando, la alegría es una propiedad inalienable de la persona.

La experiencia nos enseña que el hombre es feliz en la medida en que obtiene lo que se le presenta bajo el aspecto del bien. Pero también sabemos que las apariencias engañan y que el ser humano puede equivocarse: *no todo lo que nos parece bueno es un bien.*

El hombre es un ser que posee un dinamismo propio, característico. La alegría es la disposición que más estimula el desenvolvimiento de la persona.

Es un hecho que una de las características de la personalidad madura es el buen humor.

"Es señal de mediocridad –decía Descartes– ser incapaz de entusiasmo."

Se sabe que un clima de optimismo y de alegría es lo ideal para el desarrollo, sin quiebras, de la personalidad del niño y del adolescente.

"El mal humor insistente –decía Ortega y Gasset– es un síntoma demasiado claro de que un hombre vive en contra de su vocación." Hay que alcanzar, por tanto, la alegría del corazón, que es la que se da en la persona generosa, en la persona que sabe dar y recibir.[6]

Pero a veces el ser humano se deja seducir por lo inmediato: quiere gozar *ya, ahora mismo.*

Y experimenta así el deseo del placer. Hace falta ser muy poco inteligente para reducir la felicidad al bienestar sensible o al placer. Ya Séneca prevenía a uno de sus amigos:

> El placer es un deslizadero que resbala hacia el dolor (Carta XXIII). Ésta es una gran verdad en boca de un filósofo pagano. También decía Séneca: "Muchos son desgraciados, no por falta de placeres, sino a causa de ellos, y esto no ocurriría si el placer estuviera indisolublemente unido a la virtud, de la que casi siempre está desprovisto."[7]

La alegría, por tanto, debe ser parte constitutiva de nuestra trayectoria vital.

La vida no debe ser la tragedia cotidiana, sino la sonrisa diaria. A este respecto, cuánta razón tenía F. Dostoyevski: "No se puede vivir sin la alegría."

Las depresiones tan corrientes en nuestros días, son trastornos en los que falta la alegría. Ese decaimiento puede deberse a muchas causas, pero las actitudes negativas y la educación pesimista lo favorecen y lo agravan. El sentimiento de alegría está condicionado por la triple dimensión del hombre: somática, psicológica y espiritual.

La alegría constituye la manifestación óptima de plenitud humana, pero falta cuando se deteriora cualquiera de esas tres dimensiones.

La tristeza puede ser entonces el antecedente de ese trastorno patológico que es la depresión.[8]

OPTIMISMO Y BUEN HUMOR

Tener buen humor no significa hacer chistes a propósito de todo y tomar los asuntos superficialmente. El buen humor se relaciona con el optimismo, la agudeza y la oportunidad.

[6] *Cfr.* F. Altarejos, *op. cit.*, p. 90.
[7] Séneca, *De la vida feliz VII*, citado por J. L. García Garrido, *La filosofía de la educación de Lucio Anneo Séneca*, Biblioteca Autores Contemporáneos, México, 1969.
[8] Para ampliar el tema de la depresión, véase Alcohólicos Anónimos, *No te rindas. . . ante la depresión*, Rialp, Madrid, 1993.

Quien tiene sentido del humor busca incesantemente el ser real de las personas por detrás de las apariencias, es un rastreador incansable de la alegría porque considera que el ser humano (la persona) es valioso en sí mismo. Por eso siempre encuentra la risa y la sonrisa.

La persona que tiene buen humor es comprensiva, entiende lo que le sucede a sus semejantes y comprende la debilidad humana.

Quien tiene sentido del humor sabe que lo más importante es la felicidad de las personas. Por eso en cualquier situación enfoca el aspecto de ella que más se aproxima a la felicidad y lo pone de manifiesto. Y también se alegra cuando otra persona encuentra ese aspecto amable.

Es propio del sentido del humor buscar intencionalmente la alegría y saber sonreír.

Se requiere ingenio para descubrir el fondo de las personas. Por eso el sentido del humor, cuando persigue esa finalidad es una manifestación de la inteligencia libre del ser humano.[9]

Cuando aparece el dolor se sufre inevitablemente, pero puede sufrirse menos si se tiene sentido del humor.

Hay ocasiones en que la intensidad del dolor reduce a su mínima el sentido del humor. Entonces resulta casi imposible sonreír. No obstante, aun entonces puede alegrarse uno de la alegría ajena. Esto ocurrirá cuando el sentido del humor haya alcanzado su nivel óptimo. Sólo entonces se conservará ese mínimo de entereza ante lo que ocasiona excesivo sufrimiento o cuesta mucho trabajo aceptar.

El sentido del humor es un elemento importante para encontrarle sentido a la vida.

[9] *Cfr.* F. Altarejos, *op. cit.*, p. 101.

Segunda parte

Educación y relaciones familiares

La familia como centro de intimidad y de apertura

Objetivo:

Contribuir a la creación de un ambiente familiar en donde los miembros cultiven la riqueza de la intimidad personal y la trascendencia social.

Esquema de apoyo didáctico:

Esquema 1.

Desarrollo del tema (50 min):

La familia como centro de intimidad y de apertura.

1. Educación.
2. Centro de intimidad.
3. Centro de apertura.
4. Posibles objetivos en cuanto al desarrollo de la intimidad y de la apertura.
5. ¿Pueden los padres elegir la educación de sus hijos?

Descanso (20 min).

Trabajo en equipo (20 min):

1. Formular cinco medios concretos y factibles para cultivar el crecimiento de la intimidad personal y familiar.
2. Señalar cinco medios para fomentar la apertura.
3. Indicar en cada caso las dificultades a superar.

Sesión plenaria (10 min):

Exposición de las sugerencias expresadas y obtención de conclusiones por parte de los expositores y de los participantes.

Esquema 1:

El hombre es un ser que posee intimidad. Su capacidad de conocer y de querer lo proyectan al infinito.

El dinamismo y la riqueza de su participación social dependerán del cultivo de su intimidad.

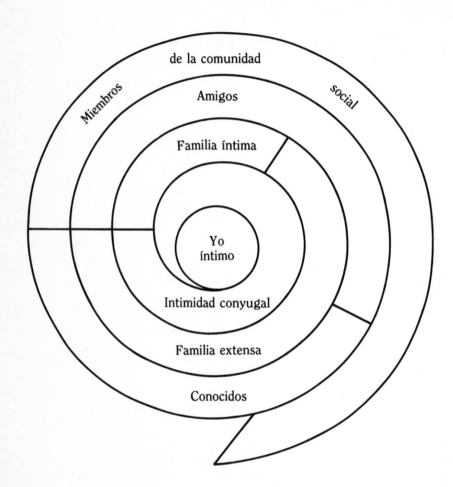

EDUCACIÓN

El orientador familiar se ocupa, fundamentalmente, de las funciones educativas de la familia y de asesorar personalmente a quienes integran a ésta para que colaboren, con libertad responsable, en el cumplimiento de esas funciones. Esas funciones educativas de la familia no se agotan en la dimensión personal: tienen también una dimensión social porque la familia es la célula natural de la sociedad. La familia, considerada desde la perspectiva de la educación, es una institución fundamental.

Al parecer nunca se ha hablado tanto de la educación como en estos tiempos. Por esta razón se multiplican las teorías pedagógicas; se inventan, se proponen y se discuten los métodos y los medios, no sólo con el fin de facilitar la educación, sino, además, para crear una nueva pedagogía de infalible eficacia.

La educación y la felicidad son cuestiones íntimamente relacionadas.

En primer lugar, interesa no errar en materia de felicidad porque entonces perderíamos el sentido de la educación. Por ejemplo, ¿qué pueden significar la acción y el proceso educativos si su objetivo indiscutible (la felicidad) se reduce a la felicidad material, a la felicidad placentera? En segundo lugar, ¿cuál es el cauce más apropiado para el logro de esa felicidad a la que aspira el hombre mediante la acción educativa?

Estas interrogantes ponen de relieve la importancia de acertar en materia de educación. La verdadera educación supone la formación de la persona en orden a su bien y al de la sociedad.

El cauce más apropiado para lograr la felicidad mediante la educación es la familia, porque las personas que la integran están unidas originalmente por lazos de amor.

CENTRO DE INTIMIDAD

La familia es un conjunto de intimidades unidas por el lazo del amor familiar. De la convivencia familiar surgen el crecimiento individual y el enriquecimiento personal.

Las relaciones familiares nacen del amor y el origen del amor es el corazón. Hay una estrecha relación entre corazón, amor, intimidad y relaciones familiares, la cual surge en forma natural. Por esto:

La familia es una institución natural.

No es, pues, un invento social, artificial. Si así fuera, hace tiempo que habría sido sustituida por otros inventos sociales más prácticos, de acuerdo con las ideas predominantes en un momento dado.

La familia hace posible que el ser humano disfrute de algunos derechos esenciales.

1. El derecho a la vida, a nacer.
2. El derecho a la educación, a crecer.
3. El derecho al progreso.

En definitiva, la familia resguarda y fomenta el derecho a desarrollarse como persona.

No basta ser y aprender a ser persona. El hombre también necesita ser reconocido como persona.

No es en la superficialidad donde el ser humano se distingue de sus semejantes, sino en la intimidad: el hombre vale lo que vale su intimidad.

Descubrirse a sí mismo en la dimensión personal requiere conocer cada vez mejor la propia intimidad. Descubrirse a los demás en esta misma dimensión implica ser capaz de comunicar la intimidad a otros.

Ambas cosas resultan más fáciles en el clima natural de la intimidad que es la familia. Ello se debe a que "en el ámbito de esa gestación de segundo orden —comparando el claustro familiar con el claustro materno— lo biológico se hace biográfico".[1]

La familia es, por tanto, un centro de intimidad.

La familia es el modelo de convivencia del ser humano porque en ella se comprende y se quiere, de modo natural al hombre como persona.

Como centro de intimidad, en la familia coinciden libertad y naturaleza porque ella facilita las acciones libres de quienes la integran. Pero si en una familia determinada falta esa referencia personal en las relaciones entre los cónyuges, entre padres e hijos, o entre hermanos, esas relaciones se desnaturalizan: no son más propiamente familiares.

Ese concurso de libertad responsable debe traducirse en una serie de objetivos educativos que cada familia concreta fijará en cada caso como su centro de intimidad. Los principales responsables deben esforzarse en promover la intimidad en la familia. ¿Cómo?

Los padres necesitan preguntarse a sí mismos: ¿Nuestra vivienda favorece la intimidad? Las costumbres que vivimos, ¿son costumbres propias o son costumbres de moda? ¿Propiciamos un diálogo amistoso y de confianza? ¿Desarrollamos un estilo personal?

Cuando se responde negativamente a las preguntas anteriores, entonces, en esa familia se corre el riesgo de referir las cuestiones íntimas a cualquier persona, sin criterio selectivo, de modo que la intimidad viene a formar parte del dominio público.

Esto se traduce también en el lenguaje. El lenguaje de moda a veces es inexpresivo, repetitivo, y nada tiene que ver con la intimidad. También tienen que preocuparse de esto los responsables de la educación: se procurará fomentar las pláticas amistosas y frecuentes con los hijos (en grupo y en privado), con el fin de que ellos sepan expresar con claridad lo que piensan.

---

[1] J. J. Pinillos, "Autoridad y coordinación familiar", en J. Rof Carballo *et al., La familia, diálogo recuperable,* Karpos, Madrid, 1976, p. 271.

CENTRO DE APERTURA

Por medio de lo anterior procuramos señalar que la familia no puede ignorar el ambiente que la rodea ni puede dejar que la influencia del entorno anule su labor educativa.

En un estudio sobre la familia, realizado en Francia y publicado en 1975 por el Comisariado del Plan de Desarrollo, se dice: "La familia, fuertemente sacudida por el choque del futuro, se nos muestra, dentro de este mundo incierto y cambiante, como el último refugio de la verdadera convivencia." Pero habría que decir que la familia no es un refugio, sino un lugar desde el que se puede, mediante la acción educativa, mejorar este mundo incierto y cambiante, porque a la familia le corresponde el privilegio de seguir siendo el ámbito natural del amor y, por tanto, el lugar original de la educación. La familia no es un refugio: es una escuela de irradiación de virtudes sociales.

También se ha calificado a la familia como "un islote privilegiado dentro de una sociedad despersonalizada". Es evidente que el privilegio del islote familiar tiene que servir para transformar esa sociedad despersonalizada en una sociedad educativa, en una sociedad humanizada.

Es una aspiración (un "objetivo tendencia") construir una sociedad totalmente personalizada. Debemos intentarlo con perseverancia revitalizando la célula básica de la sociedad —la célula familiar— para que ésta supere los condicionamientos actuales y haga posible la aceptación incondicional de las personas en las relaciones sociales y profesionales, de modo que se puedan armonizar en cualquier situación de colaboración o de convivencia social la exigencia y la comprensión, la confianza y el respeto, la eficacia y la amistad.

La meta es ambiciosa, para realizarse a largo plazo y en el inmenso ámbito de la sociedad. Pero, sí consideramos el valor de cada persona, y sus posibilidades, las metas respeto a su apertura educativa y educadora tiene que ser aún más ambiciosas.

Sin intimidad no hay posibilidad de apertura, pero sin esta última el individuo no se forma, el ser humano no crece. "La realidad fundamental de la educación es ese diálogo privilegiado en el curso del cual se afrontan y confrotan dos hombres de desigual madurez, en el que cada uno, a su manera, delante del otro, da testimonio de las posibilidades humanas."[2] Esos dos seres humanos de desigual madurez realizan la tarea de educarse, porque el educador también se educa, se supera, crece y se perfecciona al educar. Puede tratarse de una relación de padre e hijo, de profesor y alumno, o de amigos.

La libertad, esa energía interior que nos permite abrirnos por medio de la actividad y de la relación, y cuya finalidad es el servicio cualificado por el verdadero amor, la libertad, decíamos, es justamente la que hace posible la educación. Y la libertad es la característica fundamental de la persona. Debido precisamente a que ésta es libre, es diferente. Siempre habrá diferencias

---

[2] G. Gusdorf, *Pour quoi les professeurs*, 2a. ed., Payot, París, 1966, p. 37.

entre las diversas realizaciones personales de la madurez humana. Nunca coinciden en dos personas sus zonas más desarrolladas, sus diferencias de calidad humana ni sus puntos fuertes, porque cada uno, de manera irrepetible, posee su don y su misterio.

El privilegio del diálogo educativo consiste en la amistad, por cuanto ésta hace posible la comunicación íntima de personas diferentes y de sus diferencias complementarias.

¿Cómo se cultiva la intimidad familiar? Por el diálogo.

¿Y cómo abrir el diálogo? Por medio de una pregunta inteligente.

Los padres y los maestros han de ser "maestros" de la pregunta y no tanto de las respuestas, aunque también deben saber responder.

El método a seguir es el mismo empleado en la metodología participativa, que no es sino el que utilizaba Sócrates con sus discípulos: preguntar.

Ello quiere decir que los padres de familia necesitarán preguntarse, en cada caso, cómo hacer de su familia un centro de apertura con el cultivo de la amistad (amigos de los padres, amigos de los hijos); cómo favorecer el propio hogar y las propias costumbres familiares mediante el cultivo de la amistad; cómo ampliar el círculo de la amistad sin que ello se traduzca en una merma de la calidad de las relaciones; cómo influye el ejemplo de los propios padres en esa dimensión de amistad y de servicio social, etcétera.

Por otra parte, el tipo de objetivos que se han propuesto conseguir en la educación de cada hijo puede ser un indicador muy valioso.

POSIBLES OBJETIVOS EN CUANTO AL DESARROLLO DE LA INTIMIDAD Y DE LA APERTURA

1. Cultivo de la intimidad:

a) Enseñar a pensar.
b) Enseñar a observar.
c) Fomentar las buenas lecturas, el estudio y la reflexión.
d) Cuidar el respeto hacia uno mismo y hacia los demás.
e) Enriquecer las conversaciones familiares.
f) Huir de la frivolidad o la superficialidad.
g) Combatir la mediocridad y el aburrimiento.
h) Cuidar la calidad del tiempo en familia.
i) Fomentar el diálogo amistoso.
j) Formar criterios rectos y verdaderos.
k) Conservar costumbres y tradiciones.

2. Cultivo de la apertura.

a) Ayudar a una correcta expresión oral y escrita.
b) Cultivar la amistad.

c) Participar en actividades comunitarias o de promoción social.

d) Respetar otros puntos de vista.

e) Manifestar la propia opinión participando en medios de comunicación social.

f) Ser parte de la solución de los problemas, no sólo de su planteamiento.

La familia, como cauce natural de estas actividades facilita la promoción de la intimidad y de la apertura. Pero la realización concreta de estas últimas es tarea de seres libres. En ellas se trata de hacer uso inteligente y libre de las posibilidades individuales como manifestación cotidiana de verdadero amor.

¿PUEDEN LOS PADRES ELEGIR LA EDUCACIÓN DE SUS HIJOS?

Que los padres tienen derecho natural a la educación de sus hijos es evidente. Basta imaginarse a una madre enseñando a su hijo a formular sus primeras palabras.

Los niños nacen en un estado de indigencia que reclama los cuidados de sus padres. A diferencia de lo que ocurre con la mayoría de los animales, los seres humanos dependen naturalmente de sus padres durante mucho tiempo. Un reflejo de esta realidad se observa en las legislaciones de todos los países, en donde se restringe la responsabilidad de los menores de edad y se transfiere la responsabilidad civil por daños (derivada de acciones delictuosas) a los padres.

La aptitud de los padres para esta tarea resulta también obvia. Basta ver el amor que todo padre le tiene a sus hijos, la íntima relación que se establece entre ellos, la inclinación natural de los hijos a buscar ayuda en sus padres, la efectiva preocupación de los padres por sacar adelante a la familia y por proporcionar a los hijos una vida mejor y una educación más esmerada.

Esas realidades tan patentes sólo pueden ser negadas violentando la misma razón natural. La sabiduría popular recalca este pensamiento cuando llama "padres desnaturalizados" a aquellos que no cuidan de sus hijos.

En la obligación que tienen los padres de educar a sus hijos (lo que constituye uno de sus deberes primarios) radica la prioridad de sus derechos en esta materia sobre los del Estado. Los padres son el principio de la generación y de la educación que la complementa, y cuando se desentienden de este urgente deber (o se les impide su ejercicio) se producen graves perjuicios y carencias, tanto en los niños, que son víctimas de diferentes grados de abandono paterno, como en la sociedad.

Es importante que los padres se den cuenta de que son los primeros responsables de la educación de sus hijos y de que no pueden limitarse a delegar esta tarea a una escuela. Deben educarlos ellos mismos, saber qué se les enseña y, si se diera el caso, saber vencer su posible indiferencia y participar positivamente en la escuela.

Organización familiar

Objetivos:

1. Destacar la importancia de contar con un mínimo de organización en la vida familiar.
2. Plantear posibles procedimientos que contribuyan al orden y al establecimiento de algunos acuerdos.
3. Que se aprenda a no descalificar a las familias incompletas o a las que no se apegan al modelo tradicional.

Esquemas de apoyo didáctico:

Esquemas 1 y 2.

Desarrollo del tema (50 min):

Organización familiar.

1. Introducción
2. Cómo debe ser la organización familiar.
3. El mínimo normativo.
4. Proyecto familiar.
5. Buscar la motivación positiva.
6. Cómo educar con elogios.
7. Cómo ayudar a los hijos o a los alumnos a mejorar.
8. Educar por objetivos.

Descanso (20 min).

Trabajo en equipo (20 min):

1. Leer las frases del cuestionario **A** (pág. 73) e indicar qué actitud negativa se puede promover.
2. Leer las frases del cuestionario **B** (pág. 74) e indicar qué actitud positiva se puede promover.

Sesión plenaria (10 min):

Conclusiones en grupo.

Esquema de apoyo didáctico

Esquema 1:

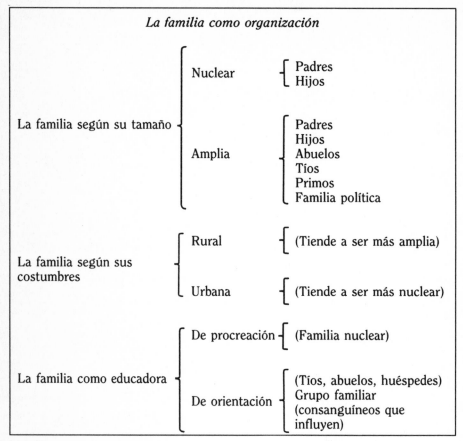

La familia como organización

La familia según su tamaño
- Nuclear
  - Padres
  - Hijos
- Amplia
  - Padres
  - Hijos
  - Abuelos
  - Tíos
  - Primos
  - Familia política

La familia según sus costumbres
- Rural — (Tiende a ser más amplia)
- Urbana — (Tiende a ser más nuclear)

La familia como educadora
- De procreación — (Familia nuclear)
- De orientación — (Tíos, abuelos, huéspedes) Grupo familiar (consanguíneos que influyen)

Hoy presenciamos fenómenos diversos que resquebrajan a la familia y a su organización:

1. Reducción de su tamaño, hasta evitar totalmente los hijos.
2. Viviendas pequeñas.
3. Relajamiento de los lazos familiares.
4. Separaciones.
5. Divorcios.
6. Incremento de madres solteras.

Todo lo cual nos lleva a preguntarnos: ¿en qué afecta todo ello al desarrollo de la personalidad de los hijos?, ¿pueden éstos adaptarse a las instituciones y alcanzar su madurez como es debido?

La experiencia de la psicología nos demuestra que los conflictos vividos y observados por el niño en el medio de los adultos con los que convive, de algún modo se reflejan en los futuros conflictos mentales y psicológicos del pequeño. Eso no quiere decir que el niño esté determinado por sus circunstancias, sino que es influido por ellas, que es distinto y que, gracias a su libertad, puede dar un giro positivo a su vida, aunque su situación familiar haya sido adversa.

INTRODUCCIÓN

La organización familiar es un medio y no un fin. Por eso debemos pensar, en primer lugar, qué es lo que perseguimos con ella. Cada familia definirá estos objetivos de distinta forma, pero uno de ellos será seguramente el de *conseguir una familia unida y feliz.*

No pretendemos demorarnos exponiendo los matices de estas dos palabras, "unida" y "feliz"; pero convendría tener en cuenta que la unidad se obtendrá mediante la identificación de los miembros de la familia con la manera de entender la vida y, en particular, su propio grupo familiar. El estilo que adopte la familia será el resultado del modo habitual de comportarse de las personas que más influyen en ella —generalmente los padres— ante las distintas situaciones que se presenten.

Para lograr la unión, cada miembro de la familia tendrá en cuenta en sus actos y en sus pensamientos, el bien de los demás. De algún modo adaptará sus intereses personales e incluso llegará, en ocasiones, a sacrificarlos en pro de la unidad familiar. Porque no se trata de obtener de la familia todo lo que se pueda para la propia satisfacción, sino de dar cuanto sea posible y de recibir lo que se necesita: la familia será feliz si cada uno de sus miembros es feliz. Es responsabilidad de todos perseguir ese objetivo.

En este sentido, es conveniente recalcar la igualdad de derechos y de oportunidades tanto para los hombres como para las mujeres.

No es lícito abusar de la mujer (madre e hijas) en el trabajo doméstico y en el servicio a los varones.

Padre, madre, hijos e hijas deben cooperar de manera conjunta en la organización de la vida familiar y en el trabajo del hogar.

Si queda claramente establecido que cada miembro de la familia depende de los demás y es responsable de ellos, entonces es indudable que la organización resulta indispensable con el fin de que las relaciones mencionadas de dependencia y de responsabilidad transcurran por sus cauces naturales de desarrollo.

CÓMO DEBE SER LA ORGANIZACIÓN FAMILIAR[1]

A veces, la palabra "organización" no se considera adecuada para referirse a la familia, ya que ésta se considera como una unidad espontánea de amor. De donde resulta la tendencia a concebir el hogar como un ambiente *natural.*

Sin embargo, esta última palabra no se entiende correctamente, por cuanto no significa que cada quien puede hacer lo que quiera. Lo *natural* de la familia consiste en que cada uno de sus miembros puede y debe mejorar como persona en sus relaciones con los demás, de modo que la familia, como tal, mejore a su vez. De lo contrario, el grupo familiar pierde muchas posibilidades, se desvirtúa y, en el mejor de los casos, se producen mejoras meramente azarosas.

La familia busca la mejora de los miembros que la conforman, aunque es una unidad espontánea de amor; debe tener una cierta organización en su educación, por muy informal que sea. Por su parte, la escuela lo hace mediante la organización de las materias de estudio, horarios y programas. La familia se desarrolla en todas sus vivencias humanas. Sin duda, hace falta un ambiente de amor, de alegría y de espontaneidad.

Por lo que hasta aquí hemos dicho, debe quedar claro que para alcanzar cualquier objetivo de mejoría en la familia hace falta ponerse de acuerdo sobre lo que se quiere mejorar.

La organización a la que nos referimos apunta únicamente a lo imprescindible; una vez alcanzado este nivel, se facilita y se motiva el desarrollo personal en todo lo que es optativo.

1. Cada familia es diferente, por lo que, según su modo de ser, necesitará de un tipo de organización distinto.
2. No existe una organización ideal; ésta debe ser el resultado de las experiencias de la vida. Es decir, cuando el tipo de vida de cada familia muestra que hace falta un medio organizativo, éste se pone en práctica en respuesta a esa necesidad, no antes.
3. Hay muchos medios para organizar una familia. Debemos conocer los objetivos que perseguimos, las personas con las que contamos, los recursos materiales y los distintos medios organizativos antes de decidir qué es lo que le hace falta a una determinada familia. De todas formas, convendría reflexionar más sobre lo que es un mínimo de organización.

[1] Esta sección y la anterior se basan en el documento de D. Isaacs, *Organización familiar,* EUNSA, Pamplona, 1983.

EL MÍNIMO NORMATIVO

El mínimo normativo se refiere a lo menos que cabe pedir para que una organización funcione y logre sus fines.

Se puede pensar en el mínimo normativo como el conjunto de requisitos que se le pueden exigir a una persona en el desempeño de sus tareas. Éstas serán diferentes, seguramente, para cada miembro de la familia, y estarán en función de las necesidades de todos y de las posibilidades del individuo.

Las tareas, como acontece con todo medio, estarán subordinadas a un objetivo general. En este caso, la meta que se persigue es conseguir que cada persona se autorrealice cuanto sea posible, contando con sus cualidades y su capacidad para servir a los demás.

Quien ha *aprendido a aprender* estará en condiciones de resposabilizarse de su propia vida: ésta es la misión de los padres respecto a sus hijos.

Para concretar el mínimo normativo, en la práctica podemos dividir la vida diaria en distintos sectores. Algunas de estas áreas se referirán principalmente a las relaciones humanas, en tanto que otras se referirán al adiestramiento. Tomemos como ejemplo las tareas domésticas: cada miembro de la familia tendrá alguna tarea que cumplir; las madres, seguramente, tendrán mayores obligaciones que los demás. Sin embargo, si el ambiente físico (limpieza, orden, etc.) está al servicio de *todos*, conviene que cada persona aporte algo en este aspecto. Si realizamos tareas educativas y enseñamos a cumplir bien estas tareas, entonces estaremos consiguiendo una serie de objetivos:

1. El adiestramiento necesario para que los hijos logren ser más autónomos después (por ejemplo, asignándoles la tarea de reparar un aparato electrónico).
2. El desarrollo de la capacidad de servir a los demás y, por tanto, de ser una familia unida.
3. Saber realizar un trabajo bien hecho, etcétera.

Otra área sería la correspondiente al dinero. Aquí, nuestro objetivo puede ser, por ejemplo, que los muchachos aprendan a ganar, a gastar y a ahorrar el dinero. En cada momento y con cada uno de los miembros de la familia se establecerá un mínimo normativo. Se entiende que en este renglón los niños menores estarán sometidos a una mayor normatividad que los adolescentes, quienes tendrán al respecto mayor autonomía. Sin embargo, en un niño pequeño la normatividad se aplicará a un número menor de tareas; por ejemplo, a los trabajos que sus maestros le piden que haga en casa.

Las reglas del juego que se establezcan serán pocas: las imprescindibles para conseguir los objetivos propuestos. Éstos incluirán, ser una familia unida y feliz. Por lo mismo, se entiende que una parte de ese mínimo normativo no se modificará considerablemente debido a las diferentes edades de los hijos. Por ejemplo, *todos* deben llegar a comer a la hora prevista o preparar su propia comida; todos limpiarán sus propios zapatos; todos avisarán en caso de no poder regresar a casa a la hora prevista, etcétera.

Que los hijos acepten y cumplan con estas normas dependerá principalmente del modo de establecerlas y de exigírselas.

PROYECTO FAMILIAR[2]

"No es ésta la familia que yo soñaba, la familia que yo quería", decía una madre, pesarosa, en su consulta a un orientador familiar. Ella había forjado un proyecto de familia, pero su realización concreta, veintitantos años después, no coincidía, ni de lejos, con el acariciado proyecto.

Muchas veces el padre o la madre tendrán que elaborar su proyecto prescindiendo del otro, pero aun así se ha de formular cierto plan de vida familiar.

En un noviazgo bien fundado, que incluya conversaciones a fondo, en las que se examinen uno a uno los respectivos enfoques de la vida, se podría diseñar un proyecto familiar común, que tomara en cuenta lo fundamental con objeto de prevenir los casos de cónyuges (con los que se encuentra a menudo el orientador familiar en su consulta) con proyectos totalmente opuestos o contradictorios. En todo caso, los cónyuges, y luego los padres, necesitan forjar proyectos a la manera de arbolitos del futuro, que hunden sus raíces en los mejores recuerdos.

Proyectos comunes.

En los proyectos comunes no se improvisa. Los planes han de ser previamente analizados, elegidos y queridos. También habrá que seleccionar los medios para realizarlos.

Los padres influyen no sólo en el éxito del proyecto familiar, ellos son, asimismo, los primeros responsables de su ejecución.

En alguna ocasión hemos escuchado a algún conferenciante decir a los padres: "Ustedes tienen la familia que merecen."

Otras veces, más acertadamente, les decía lo mismo, pero referido al futuro: "Ustedes tendrán la familia que merezcan."

Semejante afirmación no es estrictamente verdadera, porque otros factores ajenos a la voluntad de los padres influyen vigorosa y negativamente en la conducta de los hijos, además de los familiares, amigos y maestros que son los segundos responsables, e incluso los segundos educadores de los niños y los jóvenes.

La familia es educadora porque los padres son la influencia más poderosa para sus hijos.

[2] Esta sección y todas las que siguen se basan en la obra de Otero y Corominas, *Hacer familia hoy*, Palabra, Madrid, 1990, pp. 58, 125-132.

Los padres, si quieren, pueden influir mucho siempre que no pretendan hacerlo todo y siempre que no sean unos padres satisfechos por lo que tienen, por lo que hacen o por lo que son, en lugar de ser padres optimistas que buscan incansablemente la superación.

Antes de fundar una familia, los novios deberían pensar en la complementariedad cultural; la que corresponde a ellos dos, que será la de sus futuros hijos, y en la que se fusionarán sus respectivas raíces familiares. Más adelante decidirán lo que quieran, pero antes deben sopesar estas cuestiones.

No basta con haber soñado ni con haber pensado muy bien el proyecto familiar antes de casarse, o aun después, porque las mejores ideas necesitan del amor para tener vida. Todavía más: las mejores ideas necesitan un clima vital para realizarse, para encarnarse en hechos.

El proyecto familiar se realizará bajo la dirección de los padres, tomando en cuenta lo mejor de cada hijo, por lo que es importante que los enseñen a ser buenos hijos, lo que se llama "educación de la filiación". Así pues, es necesario extraer de cada hijo las mejores cualidades con las que está dotado, por medio de unas óptimas relaciones humanas. Todo ello requiere un largo entrenamiento personal y un buen conocimiento de las leyes del ser humano. Hay que descubrir cómo y por qué los hijos están a gusto en su casa. La buena convivencia y el trabajo bien ejecutado constituyen puntos prioritarios que los padres deben también considerar.

RELACIONES FAMILIARES

El quehacer de los padres, en su calidad de primeros responsables de su familia, todo debe girar en torno al siguiente objetivo.

Conseguir unas óptimas relaciones familiares.

Estas relaciones óptimas no se logran simplemente mediante el bienestar, hablando mucho o facilitándoles las cosas a los hijos *barriéndoles la calle de la vida* para que puedan transitar por ella sin tropiezo.

Antes bien, esas relaciones se apoyarán en:

1. Una convivencia familiar consistente.
2. Un trabajo bien hecho, con disposición de servicio.
3. Una cultura familiar.

Esta cultura no se consigue sólo con buenos apoyos literarios y artísticos, aunque es muy conveniente:

1. Tener buenos libros en el hogar (libros para los padres, libros para los hijos, lecturas comunes, libros de consulta).
2. Saber decorar la casa, escuchar buena música, etcétera.

La intimidad y la confianza son las piedras angulares de esta cultura.

La confianza es una manera de comunicarles a los demás que ocupan un lugar destacado como seres humanos íntegros, no como piezas aisladas. La intimidad es aquel espacio en el que uno se siente suficientemente protegido por la comprensión y por el respeto para actuar con naturalidad, para manifestar lo mejor de sí mismo.

BUSCAR LA MOTIVACIÓN POSITIVA

¿Cuáles son las causas que nos motivan a hacer algo? Son, sin duda, las necesidades, pues por ellas nos movemos para satisfacerlas.

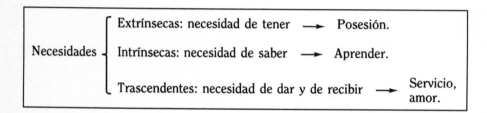

Necesidades
- Extrínsecas: necesidad de tener ⟶ Posesión.
- Intrínsecas: necesidad de saber ⟶ Aprender.
- Trascendentes: necesidad de dar y de recibir ⟶ Servicio, amor.

Los elementos que actúan positivamente para incrementar la motivación personal, son:

1. El amor.
2. El afán de saber.
3. La confianza.
4. La seguridad.
5. La alegría.
6. La lealtad.

Son elementos negativos:

1. El temor.
2. El odio.
3. La inseguridad.
4. La mediocridad.
5. La venganza.
6. La pasividad.

Incluye también en la motivación el estado de ánimo personal y el ambiente que nos rodea.

La tendencia natural de la voluntad es la de hacer el bien, pero no siempre sabemos distinguir el bien del mal. A veces un bien aparente se nos presenta como un bien real: se trata de algo malo con aspecto de bueno.

Educamos a nuestros hijos cuando les ayudamos a adquirir virtudes, es decir, hábitos buenos que contribuyen a hacerlos personas más libres y responsables. Los educamos cuando los ayudamos a actuar bien y, por lo mismo, cuando logramos que se esfuercen por mejorar su comportamiento y adquirir más virtudes.

Para que una persona mejore, se deben generar en ella los siguientes sentimientos positivos:

1. Superación.
2. Sinceridad.
3. Reconocer lo que ha hecho mal y lo que ha hecho bien.
4. Arrepentirse de sus errores.
5. Deseo de no repetirlo.
6. Confianza en sí misma.
7. Rectificación o enmienda.
8. Desear empezar de nuevo.

En resumen, se trata de mover a la voluntad, de desear evitar que se repita la acción incorrecta, y de dar confianza para que la persona se percate de que sólo ella puede alcanzar su propia enmienda.

Para que haya mejora es necesario que la persona quiera mejorar. Si no lo desea, no mejorará.

El castigo puede obligar a cambiar de conducta mediante el miedo. pero no siempre logrará que se busque lo mejor. Los padres debemos ayudar a nuestros hijos a encontrar el bien verdadero.

CÓMO EDUCAR CON ELOGIOS

Los elogios forman parte de la educación. Reconocer y alabar algo bien hecho es, en sí mismo, un premio. El elogio refuerza el éxito. Una parte del éxito la constituye la satisfacción de haber logrado algo.

A las personas les gusta que los demás reconozcan sus logros.

Algunas acciones no necesitan premiarse: son gratificantes por sí mismas. He aquí algunos ejemplos:

1. Superar un examen difícil.
2. Un trabajo bien hecho.
3. Aprender algo nuevo.
4. Realizar un acto bueno.
5. Sacar un premio, con esfuerzo.

Sin embargo, a veces es necesario reforzar el acto positivo para consolidar la satisfacción que provoca y para recalcar su valor. Entre las ventajas del elogio destaca lo que constituye su principal misión, a saber: que enseña a descubrir la parte positiva de los demás, no sólo sus errores.

Hacer las cosas bien aumenta la confianza en uno mismo. Los éxitos en las cosas pequeñas animan a intentar las grandes y a mejorar la opinión que se tiene de sí mismo. Esto aumenta la posibilidad de obtener comportamientos adecuados tanto en los niños como en los adultos.

Los proyectos y los objetivos señalan la pauta de la conducta a seguir: los resultados positivos ayudarán a perseverar.

Los elogios son refuerzos que animan a hacer las cosas bien, aun cuando impliquen esfuerzo. El elogio motiva y ayuda a consolidar los actos positivos.

El elogio debe ser verdadero y sincero.

Algunas de las metas que se proponen mediante el uso del elogio son:

1. Educar con elogios.
2. Sorprender todos los días a los hijos, haciendo algo bien.
3. Enseñar a los hijos a elogiar a sus hermanos y a sus padres. Así se acostumbran al reconocimiento y a lo bueno que es descubrir las cualidades positivas de los demás.

EJERCICIOS

1. Recordar las tres últimas veces que he elogiado a mis hijos.
2. Si tengo más de un hijo, recordar tres elogios que amerite cada uno de ellos.
3. Hacer lo mismo respecto a mi cónyuge.
4. Mantenerme atento para encontrar la primera oportunidad para elogiar a alguien.
5. Escribe, en no más de cinco líneas, lo que más te ha llamado la atención de esta lección.

CÓMO AYUDAR A LOS HIJOS O A LOS ALUMNOS A MEJORAR

Es interesante conocer las 10 recomendaciones seleccionadas por algunos grupos de trabajo sobre la familia para ayudar a mejorar a los hijos.

Las 10 recomendaciones seleccionadas son las siguientes:

1. Lo principal es que tu hijo *quiera* cambiar o mejorar; después él mismo pondrá los medios. Pero si no logra hacerlo, entonces ayúdale a encontrar vías concretas para superarse.

2. Para que mis hijos me escuchen debo escucharlos yo primero.
3. Cuando los hijos toman parte en la toma de decisiones, es más probable que cumplan con ellas.
4. A un padre debe importarle menos lo que sucede cuando está presente que lo que sucede cuando está ausente.
5. Prestar atención es un refuerzo positivo. No prestes atención solamente a los comentarios inadecuados.
6. Humillar a un hijo tiende a hacerle reaccionar en contra. Si además, se le reprende en público, reaccionará mal.
7. La mejor ayuda para triunfar en la vida es acostumbrarse al triunfo, darle oportunidades. Pero también hay que enseñar a los hijos a perder, así como ayudarlos a intentar triunfar una y otra vez.
8. Acostúmbrate a mirar a tus hijos a los ojos, con cariño.
9. Aprende a motivar a tus hijos: hazles ver que pueden. Diles que sólo hace falta que quieran. Así ganarán confianza en sí mismos.
10. Una buena educación empieza con una buena comunicación familiar. Para ayudarles mejor, debes conocer mejor a tus hijos.

EDUCAR POR OBJETIVOS

Al estudiar a las familias en su diversidad, una a una, se descubren, al menos, tres niveles de objetivos que tienen como meta la felicidad de sus miembros a través de logros concretos.

Esquema 2:

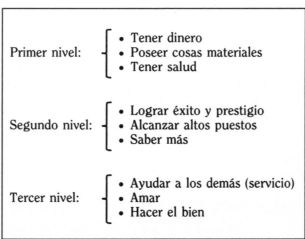

Primer nivel:
- Tener dinero
- Poseer cosas materiales
- Tener salud

Segundo nivel:
- Lograr éxito y prestigio
- Alcanzar altos puestos
- Saber más

Tercer nivel:
- Ayudar a los demás (servicio)
- Amar
- Hacer el bien

En el primer nivel, la felicidad familiar se cifra en lo material, en lo que contribuye al bienestar físico. Efectivamente, el hombre es un ser capaz de *tener* y necesita tener un mínimo de pertenencias para vivir. Por ello la propiedad material le produce cierta felicidad. Pero hay varios niveles de tener. Como un ser cuya naturaleza es racional, al hombre no puede satisfacerle sólo tener *cosas*. Necesita cierto bienestar, indudablemente, pero sus aspiraciones personales han de ser más elevadas.

Hay un tener en un sentido más elevado: el que corresponde a las operaciones específicamente humanas de pensar, de querer y de sentir. El hombre puede poseer el mundo entero en tanto que pensado, y mientras más lo piense más podrá saber de él.

En el segundo nivel de los objetivos familiares se hace referencia a este "saber más", pero sólo en función del éxito.

Ciertamente, hay una felicidad en el saber. No obstante, no puede ser feliz quien se aquieta en su propio saber, rompiendo el binomio:

Saber-querer.

En el tercer nivel de los objetivos familiares se menciona este "hacer el bien". Pero también se habla de *amar*. No debe tenderse sólo a la felicidad de saber, sino también a la felicidad de querer, de amar: ambos términos unidos dan el binomio *saber-querer*.

Por otra parte, amar supone servir. El amor ha de concretarse en detalles de servicio, pero del mejor servicio, no de servilismo. Cristalizará en la ayuda necesaria para la superación integral de aquellos a quienes se ama.

Como fácilmente se advierte, los tres niveles de los objetivos familiares que se han comentado deben armonizarse de manera ordenada y jerarquizada. Cuando en una familia se toman en cuenta los tres niveles, dándole más importancia y, por tanto, preferencia al segundo sobre el primero, y prefiriendo el tercero al segundo, entonces esa familia tiende a ser.

Una familia feliz.

Por el contrario, la infelicidad proviene de centrarse en los dos primeros niveles de los objetivos familiares, porque el olvido del tercer nivel genera

Egoísmo y autosuficiencia.

Y como posibles consecuencias de lo anterior:

Desunión familiar, desintegración de la familia.

Cuando una familia se centra en el segundo nivel, educa para el éxito. Pero el éxito, lo mismo que el fracaso, no es más que un medio educativo, nunca un fin.

En cambio, cuando los objetivos familiares se ordenan en función del tercer nivel, entonces se educa eficazmente para el amor.

TRABAJO EN EQUIPO[3]

Cuestionario A

1. Léanse las siguientes frases, que pueden motivar la voluntad negativamente, e indíquese qué actitud negativa pueden promover.

Añadir a ellas 10 frases más.

Frases (dichas por alguno de los padres a sus hijos)	Actitud negativa promovida (en los hijos)
1. Eres un flojo.	*Flojera*
2. Eres un desordenado.	
3. Siempre estás deseando molestar.	
4. Debes aprender de tu primo.	
5. Así no llegarás a ningún lado.	
6. Estoy harta de ti.	
7. Ya no te quiero.	
8. Aprende de tu hermano.	
9. Estás castigado.	
10. Como sigas así, te voy a castigar.	
11. Siempre te estás peleando.	
12. Apártate de mi vista; no quiero verte.	
13. No sabes estarte quieto.	
14. Me matas a disgustos.	
15. Cada día te portas peor.	
16. Eres un mentiroso.	
17. No sé cuándo vas a aprender.	
18. No me quieres nada.	
19. Así no tendrás amigos.	
20. Se lo diré a tu papá cuando venga.	

[3] Tomado de F. Corominas, *Cómo educar a tus hijos*, Minos, México, 1991, pp. 121-124.

2. Léanse las siguientes frases, que pueden motivar la voluntad positivamente, e indíquese qué actitud positiva pueden promover.

Añadir a ellas 10 frases más.

Cuestionario B

Frases *(dichas por los padres a sus hijos)*	*Actitud negativa promovida* *(en los hijos)*
1. Sabes que quiero para ti lo mejor.	*Amor*
2. Estoy seguro de que eres capaz de hacerlo.	
3. Muy bien, yo sé que lo harás.	
4. No dudo de tu buena intención.	
5. Juan tiene un alto concepto de ti.	
6. Si necesitas algo, pídemelo.	
7. Sé que lo has hecho sin querer.	
8. Estoy muy orgulloso de ti.	
9. Sabes que te quiero mucho.	
10. Yo sé que eres bueno.	
11. Te felicito por lo que has hecho.	
12. ¡Qué sorpresa más buena me has dado!	
13. Cuando me necesites, yo te ayudaré.	
14. Así me gusta; lo has hecho muy bien.	
15. Noto que cada día eres mejor.	
16. Creo lo que me dices; sé que lo harás.	
17. Tú mereces lo mejor.	
18. Puedes llegar a donde tú quieras.	
19. Estoy seguro de que las próximas calificaciones serán mejores.	

Hoja de respuestas

Cuestionario A

Las frases siguientes pueden motivar la voluntad negativamente.[4]

Frases (*dichas por los padres a sus hijos*)	*Actitud promovida* (*en los hijos*)
1. Eres un desordenado.	Desorden.
2. Siempre estás deseando molestar.	Molestar más.
3. Debes aprender de tu primo.	Rechazo al primo.
4. Así no llegarás a ningún lado.	Temor
5. Estoy harta de ti.	Desamor.
6. Ya no te quiero.	Desamor.
7. Aprende de tu hermano.	Celos.
8. Estás castigado.	Tristeza, venganza.
9. Como sigas así, te voy a castigar.	Temor.
10. Siempre te estás peleando.	Me gusta pelear.
11. Apártate de mi vista, no quiero verte.	Desamor.
12. No sabes estarte quieto.	Soy nervioso.
13. Me matas a disgustos.	Temor, desamor.
14. Siempre estás peleando	Es lo mío.
15. Cada día te portas peor.	Soy así, soy malo.
16. Eres un mentiroso.	Lo mío es mentir.
17. No sé cuándo vas a aprender.	Tristeza.
18. No me quieres nada.	Desamor.
19. Así no tendrás amigos.	Tristeza.
20. Se lo diré a tu papá cuando venga.	Temor.

Cuestionario B

Estas frases logran motivar la voluntad positivamente.[5]

Frases (*dichas por los padres a sus hijos*)	*Actitud promovida* (*en los hijos*)
1. Estoy seguro de que eres capaz de hacerlo.	Soy capaz.

[4] Cuando estas frases se dicen delante de otras personas se produce humillación y la actitud negativa queda más reforzada. Es aconsejable ir usando cada vez menos estas frases.

[5] Frases como éstas deberán emplearse a menudo. Dichas delante de otras personas aumentan su eficacia, si bien formuladas en presencia de los hermanos, pueden producir celos.

Es recomendable sorprender a los hijos haciendo algo bien y decírselos. Es un buen objetivo para realizar por lo menos una vez al día.

2. Muy bien, yo sé que lo harás.
3. No dudo de tu buena intención.
4. Juan tiene un alto concepto de ti.
5. Si necesitas algo, pídemelo.
6. Sé que lo has hecho sin querer.
7. Estoy muy orgulloso de ti.
8. Sabes que te quiero mucho.
9. Noto que cada día eres mejor.
10. Creo lo que me dices; sé que lo harás.
11. Tú te mereces lo mejor.
12. Puedes llegar adonde tú quieras.
13. Estoy seguro de que las próximas calificaciones serán mejores.

Hacerlo.
Ser bueno.
Juan es mi amigo.
Amigo.
No lo repetiré.
Satisfacción.
Amor.
Amor.
Confianza.
Satisfacción.
Puedo hacerlo.

Estudiar más.

Tercera
parte

Etapas
de la educación

Los periodos sensitivos[1]

Objetivo:

Conocer los periodos naturales en los que el ser humano se encuentra más propenso a adquirir determinadas habilidades y conocimientos.
Intercambiar experiencias sobre el aprovechamiento de los periodos sensitivos.

Esquema de apoyo didáctico:

Figura 1, y en los cuadros 1 a 5.

Desarrollo del tema (50 min):

Los periodos sensitivos.

1. Introducción.
2. Los periodos sensitivos en los animales.
3. Los periodos sensitivos en las personas.
4. Orientaciones pedagógicas.

Descanso (20 min).

Trabajo en equipo (20 min):

Lectura, análisis y discusión del caso *Miguel y Rufino*.

Sesión plenaria (10 min):

Discusión dirigida por el monitor, con participación de todo el grupo. Conclusiones.

[1] Basado en F. Corominas, *Educar hoy*, Minos, México, 1989, pp. 37 y ss.

INTRODUCCIÓN

En todos los seres vivos existen periodos sensitivos, no voluntarios, en los que el organismo tiende intuitivamente a realizar determinada acción. Se habla de *periodos* porque abarcan una determinada etapa, y se llaman sensitivos porque son independientes de la voluntad.

¿Por qué se estudian los periodos sensitivos dentro de un programa de orientación familiar?

En primer lugar, porque ayudan a conocer a los hijos en una modalidad dinámica y, por tanto, a comprenderlos. Pero, sobre todo, desde el punto de vista del educador, porque permiten orientarlos mejor, apoyándose en las características dominantes de cada edad con sus respectivos impulsos, intereses y comportamientos, con objeto de lograr que se desarrollen en su aspecto positivo. Además, así se evitarán anacronismos, es decir, el empleo de medidas que no resultan adecuadas a la edad del niño. Por último, porque sirven para poner en práctica esa *prisa paciente* que consiste en no descuidar las ocasiones de educar, sin angustiarse por los errores cometidos a pesar de que los padres se sientan responsables de todos los errores que cometen sus hijos. Hay que tener en cuenta que el hombre no acaba nunca de perfeccionarse y, por tanto, de educarse. Al profesional de la educación (el educador o los padres) le compete orientar al niño desde su nacimiento hasta el momento en que sea capaz de decidir y actuar con un criterio personal rectamente formado.

LOS PERIODOS SENSITIVOS EN LOS ANIMALES

Del conocimiento de los periodos sensitivos en los animales pueden obtenerse interesantes lecciones, para aplicarlas a los seres racionales.

Al no tener voluntad, los animales no pueden interferir en sus periodos sensitivos, lo cual hace que éstos se manifiesten en toda su pureza y cumplan inexorablemente con todas las leyes naturales.

Los periodos sensitivos son los que van señalando las diferentes tendencias o actividades del comportamiento animal, las cuales guían su desarrollo con objeto de cumplir con la función que, como ser vivo irracional, tiene asignado.

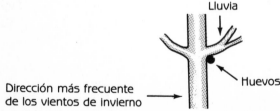

Figura 1. Sitio que algunas mariposas escogen para desovar.

Algunas mariposas, para poner sus huevos, eligen por instinto la parte baja del entronque de la rama gruesa de un árbol (véase fig. 1), en el lado del tronco que queda más resguardada de los vientos predominantes de invierno.

La razón de esto es clara, ya que el sitio elegido es firme y está protegido de la lluvia y del viento y, por tanto, es el más seguro para la supervivencia de las larvas. Además, entre las diferentes clases de árboles del bosque, la mariposa escoge la única que es apta para su descendencia, ya que las larvas no podrían alimentarse de cualquier otro árbol.

No es necesario decir que la mariposa madre nunca se alimentó de ese árbol, que no sabe qué es la lluvia y que no entiende de vientos de invierno ni de ramas rígidas: las cosas funcionan así (instintos guía).

Al llegar la primavera, nacen las larvas y todo su ser se predispone a llevar a cabo su primer periodo sensitivo:

Unas ansias incontenibles de ver luz.

Este fuerte deseo las impulsa a dirigirse hacia el lugar más luminoso, el cual coincide con el sitio donde se encuentran las hojas recién nacidas, las más tiernas. Una vez transcurridas unas horas, las impulsa el segundo periodo sensitivo:

Un hambre devoradora.

En ese momento, aprovechando la situación en que se encuentran, dan rienda suelta a sus deseos y, si son muchas, su función adquirirá las dimensiones de una plaga.

Más tarde, las mariposas experimentarán otros periodos sensitivos, como son las ganas de fabricar un capullo, el ansia de volar, la atracción por las flores, etcétera.

A otras especies, los periodos sensitivos las impulsarán a abastecerse de comida para el invierno con una perfecta organización, a tejer telarañas para cazar, a construir panales para almacenar la miel o a emprender una ruta migratoria de miles de kilómetros, volando sobre los mismos parajes que sus antecesoras, o miles de millas submarinas a lo largo de la misma ruta oceánica que recorrieron sus progenitores, y ello sin necesidad de que nadie les haya enseñado previamente el camino. ¡Realmente, la vida animal está bien planificada!

Los periodos sensitivos de desarrollo son irrepetibles, pues suceden una sola vez en la vida. Esto significa que si por causas meteorológicas, como puede ser una lluvia torrencial o un viento fuerte, o debido a cualquier otra causa, las larvas no pueden alcanzar las hojas tiernas, entonces experimentarán las ansias de comer cuando aún estén sobre la rama vieja. Pero al no tener con qué alimentarse se morirán irremediablemente; asimismo, si un agente externo le impide al gusano fabricar el capullo, entonces no podrá hacerlo en otra ocasión y su generación terminará con él.

Si por un acto de magia fuésemos capaces de convertir a los animales en seres humanos, el gusano, al sentirse libre, podría negarse a cumplir la misión que le corresponde y además podría, por un acto de su voluntad, tejer el capullo cuando ya hubiese pasado el momento propicio para hacerlo.

También es verdad que una de las consecuencias de salirse de los cauces naturales es la de obtener resultados diferentes. En este sentido, al gusano le costará mucho más trabajo fabricar el capullo, y hasta es posible que necesite clases particulares para hacerlo y, desde luego, nunca le saldrá tan perfecto como si lo hubiese hecho según el orden natural. Siempre se notará que el capullo fue tejido a destiempo.

LOS PERIODOS SENSITIVOS EN LAS PERSONAS

Los periodos sensitivos son lapsos que predisponen a una acción o momentos oportunos de desarrollo.

Las personas, por ser animales racionales, también tienen periodos sensitivos de desarrollo igualmente irrepetibles; sólo que en ellas se manifiestan por medio de fenómenos diferenciales específicos que las liberan de todo tipo de determinismos.

Las personas, por ser racionales, tienen voluntad. Esto significa que, como seres libres y responsables, son capaces de entender y de razonar, siendo ésta una diferencia esencial que las distingue de los restantes animales.

Gracias a la voluntad, el hombre es capaz de dominar, si así se lo propone, sus propios periodos sensitivos. Puede negarse a llevar a cabo la acción prevista cuando corresponde y puede, también, realizar la misma actividad una vez que el periodo sensitivo correspondiente haya transcurrido.

Llevar a cabo una actividad fuera de su momento natural propicio obliga a desarrollar una fuerza de voluntad muy superior; la actividad requiere mayor esfuerzo y, además, es más difícil obtener la misma perfección en los resultados.

Un niño de siete años, que se encuentra en pleno periodo sensitivo para la comprensión de la matemática simple, puede negarse a aprender matemáticas y querer recuperar el tiempo perdido a los 30 años. La diferencia está en que a los siete años el aprendizaje hubiera sido más sencillo y hubiera obtenido de él mejores resultados con menor esfuerzo.

Un niño entre uno y cuatro años de edad es capaz de aprender la lengua materna o cualquier otro idioma sin esfuerzo y con la mayor naturalidad, dado que atraviesa por el periodo sensitivo de la adquisición del lenguaje: todos sus sentidos están predispuestos a llevar a cabo esa función y aprenderá un idioma como si tal cosa, como un juego más y con la perfección debida.

Pero si esa misma persona pierde esa oportunidad y pretende, a los 25 años, aprender un idioma, claro que podrá hacerlo, pero a costa de esfuerzo, trabajo y constancia durante un tiempo bastante prolongado y, por lo general no será capaz de hablarlo a la perfección.

Todas las acciones integradas en la formación de la persona tienen su momento oportuno de desarrollo. Así, podemos hablar de periodos sensitivos relacionados con adiestrar, instruir o educar (véase el cuadro 1).

Cuadro 1. Periodos sensitivos del adiestramiento, la instrucción y la educación.

En el adiestramiento: La forma de manejar el cuerpo: movimiento motor.
En la instrucción: La adquisición de nuevos conocimientos por medio de la inteligencia.
En la educación: El comportamiento interno y externo; el uso de la libertad y de la responsabilidad.

PROCESO DEL APRENDIZAJE HUMANO

Los hombres trasmiten a sus hijos ciertos conocimientos y hábitos que los niños aprenden debido a su afán de imitar y de saber.

En Pensilvania, Estados Unidos, hay una *escuela para genios*. Algunos de los alumnos aprenden a tocar el violín a los cuatro años y a hablar cinco idiomas a los cinco años. Y la verdad es que no son genios: cualquier niño normal es capaz de ello, porque el hombre es una maravilla. Lo que sucede es que en esa escuela cuentan con los medios, los maestros, el tiempo y el dinero para llevar a cabo ese tipo de educación. A los niños se les da una estimulación temprana, para obtener el máximo provecho de los periodos sensitivos, y el niño normal da de sí mucho más de lo que se acostumbra esperar de él.

Saber imitar es uno de los instintos guía que primero se manifiestan. Se desarrolla en la primera infancia (de los 30 días a los 30 meses), al principio en forma mecánica, pero luego se convierte en hábito. El niño imita según su propio antojo. Esa capacidad de imitar va acompañada de un periodo sensitivo que se manifiesta como el impulso de repetir la acción contemplada.

El proceso no se realiza sin un modelo que mitar. De allí la importancia del padre, la madre y los maestros como modelos. El esquema de aprendizaje de una persona durante su desarrollo se muestra en el cuadro 2.

A los seis años el niño posee ya todas sus neuronas. Las neuronas o células cerebrales, como sabemos, son las únicas células del cuerpo que no se regeneran: una vez que han muerto no son sustituidas, y mueren más células cerebrales por falta de sueño que de comida. Como el niño de seis años cuenta con todas sus neuronas tiene gran capacidad para aprender, además de que a esa edad la flexibilidad del sistema nervioso es mayor que en edades posteriores.

Cuadro 2. Proceso del aprendizaje humano.

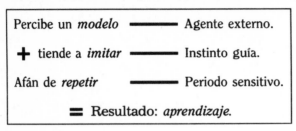

Durante los periodos sensitivos las células cerebrales se adaptan a una determinada acción y son capaces de repetirla de forma natural durante el resto de la vida, siempre y cuando funcione la memoria. Cuando se aprende algo fuera del periodo sensitivo correspondiente, las células cerebrales ya han adquirido cierta rigidez que dificulta su adaptación.

EL PERFIL DE INTELIGENCIA Y LOS PERIODOS SENSITIVOS

Las personas cuentan con un coeficiente intelectual y, simultáneamente, con unas aptitudes para determinadas áreas, tales como matemáticas, filosofía, pintura, música, idiomas, comprensión de la realidad social y política, etc. El perfil de la inteligencia obedece en parte a la educación expresada en el cuadro 3.

El talento está relacionado con los instintos guía trasmitidos por herencia.

El aprendizaje se lleva a cabo de modo natural, con la cooperación del niño. Un talento musical aislado puede quedar en potencia (permanecer latente) si no encuentra el ambiente propicio para su desarrollo. El acto, la acción, es lo que contribuye a la perfección del ser humano. Por el contrario, un niño con un mediano talento heredado para los idiomas o para nadar, si ha contado con un buen aprendizaje en el momento oportuno, mostrará una habilidad superior a la de la media de su entorno.

Un talento notable con un aprendizaje nulo será como un genio no nacido. El aprendizaje realizado durante el periodo sensitivo correspondiente deja huellas físicas en las células cerebrales.

Para ser artista en alguna de las artes mayores no basta con poseer las disposiciones naturales (los genes apropiados o el talento). Además, es necesario convivir con un grupo primario que posea a su vez esos talentos, es decir, que el arte *se respire* en el ambiente, porque el niño aprende por imitación, y el entorno social y cultural lo educa. . . o lo *deseduca*.

Cuadro 3. El perfil de inteligencia y los periodos sensitivos.

Capacidad o aptitud	=	Talento innato (Herencia genética)	×	Aprendizaje (Cantidad de práctica)

El perfil de inteligencia de una persona está gráficamente expresado en el cuadro 4.

Cuadro 4. Perfil de inteligencia.

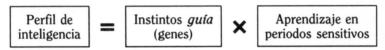

Perfil de inteligencia	=	Instintos *guía* (genes)	×	Aprendizaje en periodos sensitivos

Los psiquiatras dicen que el ser humano aprovecha alrededor de 12 % de su capacidad intelectual, pero eso no se sabe con exactitud. Lo que se ha observado es que cuando el proceso de enseñanza-aprendizaje se ejerce en la misma dirección que los instintos guía y en coincidencia con los periodos sensitivos, entonces se puede llegar a duplicar y triplicar el rendimiento mental (véase el cuadro 5).

Cuadro 5. Valor aproximado de la capacidad intelectual.

	Valor	*Bajo*	*Medio*	*Alto*
Capacidad intelectual	100 %	80	100	120
Utilización natural del intelecto	10 %	8	10	12 *2
Utilización de la inteligencia con ayuda del aprendizaje	15 o 20 % (aprox.)	12 *1	15	18

Deducimos que un niño con baja capacidad intelectual en el área de las matemáticas (80 de coeficiente intelectual), con ayuda, en el momento oportuno, puede llegar a utilizar 15 % de su capacidad (12*1), situándose así en una posición de competencia con los primeros de su clase (12*2) en condiciones normales de aprendizaje.

Si se aplica esa ayuda a los niños con talento innato alto, éstos siempre estarán en ventaja respecto a los demás.

Resulta claro que la capacidad humana, de reaccionar ante determinados estímulos, no es infinita, y dado que somos limitados en todos los campos, será difícil que nuestros hijos destaquen a la vez en futbol, ciclismo, beisbol y natación. Por otra parte, sería aconsejable conocer el perfil intelectual del niño para ayudarle en las áreas para las que se encuentre menos dotado, con objeto de establecer un equilibrio. Siempre hay que contar con que el ser humano es libre y puede querer o no querer cooperar. A veces los niños no se dejan ayudar por razones triviales; otras veces se resisten por problemas que rebasan su capacidad de solución, como son los problemas familiares.

Los periodos sensitivos varían de un niño a otro por un margen muy pequeño. Las máximas diferencias dependen de la raza y del clima.

El periodo sensitivo de *caminar* se experimenta de los 10 a los 15 meses de edad. Todo su cuerpo le pide caminar, pero el niño necesita un modelo. En un jardín de niños de México se vio que un grupo de niños caminaban arrastrando un pie. Acto seguido se vio salir a la educadora, que caminaba con dificultad, por lo que se conoció que ellos imitaban lo que veían. Algunos estudios científicos muestran que los niños que han sido abandonados en la selva y sólo han visto caminar a los animales, terminan desplazándose sobre sus cuatro extremidades. Si por alguna circunstancia un niño no ha aprendido a caminar durante la época adecuada para ello, entonces tendrá problemas para hacerlo después.

El periodo sensitivo propicio para mantener el equilibrio se presenta de los tres a los cinco años. Ese saber se le grabará al niño en el cerebro y podrá aplicarlo durante el resto de su vida. Si entre los tres y los cinco años la criatura no tiene la oportunidad de hacer ningún ejercicio relacionado con el equilibrio, aprender a andar en bicicleta a los 12 años constituirá un pequeño problema.

Cuando el niño aprende a hablar, lo cual realiza entre uno y cuatro años de edad, puede aprender cualquier idioma en forma natural si convive con alguien que domine ese idioma: será capaz de aprender inglés o francés si tiene a quien imitar durante ese periodo. Pero si durante ese tiempo nadie le habla en otro idioma o él rechaza a la persona que lo habla, entonces no aprenderá esa lengua.

ORIENTACIONES PEDAGÓGICAS

EL AMBIENTE DE HOY ES DIFERENTE

El ambiente de la sociedad actual hace que las circunstancias educativas de hoy no tengan precedentes.

Los esquemas usados por nuestros padres pueden ser válidos, pero no son suficientes.

Educar hoy es diferente.

LAS CIENCIAS DE LA EDUCACIÓN ESTÁN EN AUGE

Las últimas investigaciones llevadas a cabo por diferentes universidades sobre *técnicas pedagógicas innovadoras* nos hacen ver el futuro con optimismo, al mismo tiempo que tomamos conciencia de la necesidad de formarse.

Hoy existen técnicas pedagógicas innovadoras.

LOS INSTINTOS GUÍA

Los conocimientos sobre la trasmisión genética en el área de la inteligencia hacen que brindemos con más facilidad la ayuda que necesitan nuestros hijos para utilizar correctamente los instintos guía.

Conocer los instintos guía ayuda a educar mejor.

LOS PERIODOS SENSITIVOS

Los periodos sensitivos de desarrollo son fases de la vida durante el crecimiento. Ellas resultan propicias para ejercer una determinada función directamente relacionada con el desarrollo humano: corporal, intelectual y de la voluntad. El conocimiento de la existencia y de las características de estas fases, coloca a los padres en una posición privilegiada por lo que se refiere a la ayuda que pueden proporcionar a sus hijos.

Conocer los periodos sensitivos facilita la formación.

LOS NIÑOS NO SON MALOS

Cuando las personas tienen una buena opinión de sí mismas procuran comportarse mejor. Los hijos no son malos, pero sí pueden serlo sus acciones. Es una medida positiva en educación ayudarlos a tener un buen concepto de sí mismos. Esto les da fuerza para luchar por mejorar y llegar a ser lo que deben ser, así como para no defraudar a los demás sobre lo que esperan de ellos.

Seremos lo que pensamos que somos.

PREVENIR HACE MÁS FÁCIL EDUCAR

En educación, *llegar antes es la vía para no ir contra la corriente.* La idea que adquirimos primero es más nuestra. En educación, es mejor llegar un año antes que un día después.

Es mejor un año antes que un día después.

DETECTAR LOS *PROBLEMAS* DESDE EL PRINCIPIO, ES UNA AYUDA

Hoy se conocen los primeros síntomas de la mayor parte de los problemas. Corregir éstos cuando empiezan exige menos esfuerzo que cuando llegan a convertirse en un hábito.

Los problemas deben corregirse cuando se observa el primer síntoma.

TRABAJO EN EQUIPO

Lectura y discusión del caso:

MIGUEL Y RUFINO

La familia Cisneros tuvo gemelos idénticos, uniovulares, es decir, con idéntica carga genética. Los gemelos se llaman Miguel y Rufino.

A la edad de veintitrés años, Miguel es un ingeniero que ha ganado premios en matemáticas, mientras Rufino es director suplente de una orquesta.

¿Qué sucedió? ¿Por qué los gemelos tomaron caminos profesionales tan diversos?

Ello simplemente se debió a que los periodos sensitivos de ambos hermanos fueron vividos de manera diferente.

Cuando ambos gemelos se encontraban en pleno periodo sensitivo para aprender habilidades matemáticas (a los siete años de edad), sus padres decidieron que los colocaran en salones diferentes para evitar posibles competencias y para que tuvieran maestros distintos.

Miguel tuvo una maestra, Juliana, que desde el primer día le agradó mucho. Ella lo hizo pasar al pizarrón a resolver un ejercicio de matemáticas. Miguel lo hizo muy bien, y Juliana alabó su desempeño delante de todo el grupo:

—Tu trabajo está muy bien hecho. Te felicito.

Era la primera vez que alguien alababa su trabajo delante del grupo y, por tanto, la primera ocasión en que tuvo éxito. Miguel se mostró feliz, e inmediatamente Juliana se convirtió en su mejor maestra.

Al llegar a su casa, el primer libro que abrió fue el de matemáticas. Cada vez le dedicaba más tiempo a esa asignatura, hacía mejor las tareas y le gustaba más estudiar esa materia.

Al terminar el curso, Miguel obtuvo una mención por su empeño en matemáticas, y a lo largo de todos sus estudios jamás perdió el interés por esa ciencia. Por ese camino llegó a sus veintitrés años con el prestigio de un magnífico matemático.

Los dos hermanos eran iguales genéticamente. Si las circunstancias exteriores hubieran sido las mismas, pero invertidas, las aficiones de ambos quizá podrían haberse cambiado. Rufino podría haber sido matemático y Miguel músico. La intervención del ambiente mediante el aprendizaje en los periodos sensitivos correspondientes fue un elemento decisivo. Si no se hubiera tratado de hermanos gemelos, el caso podría haber sido el mismo, pero siempre cabría la duda de una diferencia genética.

Un comportamiento anormal o unas calificaciones inferiores a las notas promedio son anuncio de un posible problema. Una visita a la escuela y una conversación con el hijo resulta el método más sencillo para resolverlo.

Las consecuencias que unos padres obtuvieron del caso anterior se exponen a continuación a manera de cuatro conclusiones:

Primera: los genes de la descendencia de los mismos padres tienen muchos elementos en común. El *aire de familia* los une a todos.

Segunda: la mayor parte de las veces son las circunstancias exteriores las que influyen en un cambio de actitud, mismo que al producir agrado o rechazo hacia una persona o una materia modifica las condiciones del aprendizaje.

Tercera: conocer los periodos sensitivos y el carácter de los hijos ayuda a los padres a prestarles un apoyo adecuado.

Cuarta: los problemas y los cambios negativos de conducta no surgen de improviso. Si se detectan desde el principio, se solucionarán con mayor facilidad. Es mejor médico el que previene la enfermedad que el que la cura.

A Rufino los acontecimientos lo encaminaron en otra dirección. Su primer día de clases se distrajo con lo que acontecía fuera del salón. La clase era de matemáticas, y cuando el maestro Juan le preguntó y Rufino no supo contestar, recibió una buena regañada.

—Oye Rufino, mereces que te ponga "orejas de burro". No entiendes lo que acabo de explicar.

Juan aprovechó la circunstancia para dar un escarmiento a la clase, y dejó muy mal parado a Rufino delante de sus compañeros. Rufino se puso colorado y sintió que había hecho el ridículo.

Ese día, en su casa, hubo un libro que Rufino no abrió: el de matemáticas. Y los días subsiguientes tampoco lo hizo. Ese año el maestro lo aprobó por lástima. Al año siguiente Rufino intentó estudiar matemáticas; abrió el libro y pensó: "Está en chino", y lo cerró durante un año más.

La historia de su afición por la música fue más placentera. El periodo sensitivo de la música empieza aproximadamente a los cuatro meses antes de nacer y se prolonga, con una elevada intensidad, hasta los dos o tres años de edad, siendo decisivos los primeros doce meses de vida.

Miguel tuvo pocas oportunidades de escuchar música y su oído no se acostumbró a ella. Rufino contrajo una enfermedad contagiosa; lo separaron de Miguel y lo enviaron a casa de su abuelita Lola. Ella cantaba bien y su nieto disfrutaba oyéndola. A Lola le agradaba la música clásica y siempre que podía sintonizaba la radio cuando cuidaba a Rufino.

Rufino se aficionó a la música clásica y fue fomentando esa afición. A los veintitrés años, Rufino comenzó a destacar y a suplir al director de una orquesta cuando aquél se ausentaba.

COMENTARIOS DEL CASO

El caso relata las diferentes historias de dos gemelos idénticos, en donde la influencia de las matemáticas y de la música los condujo a desarrollar una habilidad o a perder la oportunidad de hacerlo así.

Posibles objetivos

1. Analizar la importancia de los periodos sensitivos para desarrollar habilidades y facilitar aprendizajes.
2. Reflexionar en la importancia de detectar a tiempo los problemas de conducta.
3. Destacar las acciones concretas para obtener el máximo provecho de los periodos sensitivos.

Posibles preguntas

1. ¿Por qué Miguel desarrolló aptitudes para las matemáticas y Rufino para la música?
2. ¿Cuál es la importancia de los periodos sensitivos para el aprendizaje?
3. ¿Qué podría haberse hecho para que Rufino no tuviera problemas en matemáticas?

4. ¿Puede pensarse que alguno de los gemelos sea más inteligente que el otro?
5. Si se aprovechan los periodos sensitivos, ¿cómo aumentar el desarrollo físico, intelectual y volitivo?
6. ¿Qué objetivos se pueden plantear los padres en relación con el desarrollo de habilidades?
7. ¿Cómo influyen las circunstancias exteriores en el crecimiento intelectual?

La educación de las virtudes humanas y los periodos sensitivos[1]

Objetivo:

Comprender la relación entre la educación de las virtudes humanas y los periodos sensitivos.

Esquema de apoyo didáctico:

Cuadros 1, 2 y 3.

Desarrollo del tema (50 min):

La educación de las virtudes humanas y los periodos sensitivos.

1. Introducción.
2. El orden.
3. La sinceridad.
4. La laboriosidad.

   - El juego.
   - El estudio.

5. La generosidad.
6. La responsabilidad.

Descanso (20 min).

Trabajo en equipo (20 min):

Lluvia de ideas dirigida por el moderador, a fin de que se sugieran distintos modos de poner en práctica las virtudes humanas en los distintos periodos sensitivos.

Sesión plenaria (10 min):

Discusión dirigida por el moderador, con la participación de todo el grupo. Conclusiones.

[1] Basado en F. Corominas, *op. cit.*, pp. 71 y ss.

INTRODUCCIÓN

Es difícil determinar hasta qué punto influye la herencia en la conducta y en el aprovechamiento y cuáles son los alcances del aprendizaje. No obstante, si recurrimos a las cifras, se podría afirmar tentativamente que la influencia del aprendizaje es tres veces superior al de la herencia en la capacitación del ser humano, salvo algunas excepciones.

El orientador debe saber que es imposible encasillar al hombre y hablar de porcentajes exactos en cuestiones de educación.

Por otra parte, la educación de la voluntad es la que está menos vinculada con los instintos guía y con los periodos sensitivos.

Los periodos sensitivos tienen lugar una sola vez en la vida y desaparecen en la edad adulta, esto es, alrededor de los 20 años. Ahora bien, la persona humana es la única capaz de negarse a obedecer los dictados de los instintos, es decir, es capaz de dominarlos. Y también es capaz de llevar a cabo un aprendizaje fuera del periodo sensitivo correspondiente, debido a que es libre y así puede proponérselo.

La duración de los periodos sensitivos es muy variable y no obedece a reglas fijas. Así, el afán de caminar puede durar sólo unos meses o prolongarse durante más de diez años, por el mero *gozo de repetir*, pero la intensidad no es constante y suele asemejarse a una campana de Gauss desplazada, con mayor intensidad en la primera parte (véase cuadro 1).

Cuadro 1. Periodo sensitivo.

Curva de representación en el tiempo

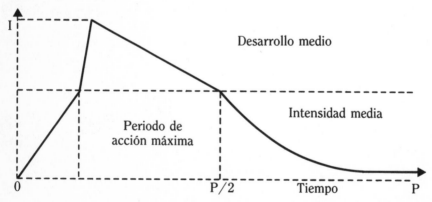

El aprendizaje se manifestará en hábitos que, más tarde, si tienden al bien y son queridos por la voluntad, se convertirán en virtudes. De aquí se deduce la conveniencia de orientar los periodos sensitivos hacia la adquisición de hábitos positivos durante los primeros años, como un medio para cimentar los principios de las virtudes humanas, cuando la voluntad y la razón adquieren un mayor protagonismo.

Una vez que el uso de la razón se estabiliza, la voluntad puede actuar en los procesos educativos modificando las intensidades e incluso la curva de desarrollo en el lapso que corresponde a los periodos sensitivos. La acción de la voluntad puede llegar a ser tan importante que consiga anular la existencia de un periodo. Es posible, por tanto, que, existiendo el periodo y experimentando el niño el impulso de hacer algo, libremente se niegue a realizarlo. De aquí la importancia de la motivación.

En la etapa comprendida entre los 14 y los 15 años, los adolescentes presentan una tendencia interior que les impulsa a ayudar a los demás a querer arreglar el mundo y a implantar una auténtica justicia social.

Estos sentimientos los pueden llevar a prestar pequeñas ayudas a compañeros necesitados de apoyo en el estudio o en el aspecto moral o, en el otro extremo, a convertirse en revolucionarios.

Las demás posiciones intermedias son también viables, pero si esos mismos adolescentes, entre los 12 y los 14 años, tienen problema de drogas o desviaciones sexuales, lo más probable es que el periodo sensitivo que les invita a ayudar a los demás no llegue a aparecer. No hace falta que se nieguen a seguirlo, pues ni siquiera han tenido la oportunidad de conocerlo.

Los problemas no suelen llegar de repente. Tienen un periodo de gestación más o menos largo, que los padres con conocimientos de educación pueden detectar sin dificultad para ayudar a sus hijos a corregirlos.

Por lo que se refiere a las virtudes de templanza, el respeto, la amistad y el patriotismo se vivirán con más intensidad si coinciden con los periodos sensitivos que les corresponden (de los 13 a los 16 años), mientras que la esperanza, la prudencia, la lealtad y el optimismo se reservan para las edades anteriores a los 20 años. A partir de este momento comienza la edad adulta, y los periodos sensitivos de desarrollo habrán terminado su misión.

EL ORDEN

De la virtud del orden se ha dicho que se trata de una virtud básica en la que se apoyan todas las demás y, también, que sin orden no hay virtud.

El orden, mediante su acción directa, nos ayuda a disponer de más tiempo, a ser más eficaces, a aumentar el rendimiento y a conseguir los objetivos propuestos. El orden nos proporciona tranquilidad, confianza y seguridad; nos evita disgustos y contratiempos, y nos ayuda a ser más felices con menos esfuerzo.

De las personas se dice que son ordenadas o desordenadas por naturaleza, que nacieron así y que poco pueden hacer por ir en contra de sus genes. Para los desordenados, la mesa de trabajo es un montón de papeles dispersos sin ton ni son; los cajones, un almacén de mil asuntos por archivar y, además, siempre son impuntuales. Parece que todo lo relacionado con el orden funciona a la manera de vasos comunicantes. Pero, realmente, ¿se es desordenado por herencia?

Cuando una persona suele llegar tarde a sus compromisos y requiere un esfuerzo de voluntad heroico para ser puntual (lo cual consigue cuando existe un verdadero interés), podemos asegurar, sin miedo a equivocarnos, que esa persona *vivió mal* su periodo sensitivo del orden, por lo que se refiere al aprovechamiento del tiempo. Además, podrá predecir, con grandes probabilidades de acierto, que esa persona no cree en los programas ni en las planificaciones y que en raras ocasiones ha cumplido con ellos.

El periodo sensitivo del orden se experimenta con la máxima intensidad entre el primero y el tercer años de vida. Un niño de tres años, gracias a su instinto guía, tiene ideas muy claras sobre el orden de las cosas materiales. Sabe perfectamente, sin que nadie se lo haya enseñado previamente, que cada cosa tiene su lugar.

Pero también se ha de tomar en cuenta que el niño de tres años vive el orden *a su modo*, no según nosotros.

En esta edad es fácil conseguir que el niño guarde sus juguetes en el mismo lugar o que tenga sus cosas en orden. Para ello hay que jugar con él repetidas veces a *colocar las cosas en el mismo lugar y en el mismo orden*. Cuando llega a aprenderlo, disfruta del *juego del orden*.

El niño se concibe a sí mismo como una *cosa* u *objeto*, y así piensa que él tiene también un lugar donde debe situarse. El lema: *cada cosa en su sitio* lo aplica a su persona. Si jugamos al escondite, normalmente le gustará esconderse en el mismo lugar; también querrá dormir en la misma cama y sentarse a comer en la misma silla.

Así pues, el orden es un proceso que el niño aprende con gran facilidad a esa edad, siempre que se le enseñe de forma metódica y ordenada, y que tenga un modelo de reiteración.

Pero con la misma facilidad con que los niños son capaces de imitar el orden pueden imitar el desorden. Si se les acostumbra a colocar cada cosa en un lugar diferente, porque eso es lo que ven en sus mayores, imitan con creces esta costumbre y lo hacen con tal rapidez que pueden convertirse, en poco tiempo, en unos *perfectos desordenados*.

Para los niños, el orden o el desorden son hábitos, buenos o malos que, de conservarlos según van creciendo, se convertirán en virtudes o en vicios arraigados. En ambos casos los practicarán con cierta facilidad, pero no porque *nacieran así*, sino porque en el momento oportuno no tuvieron la ayuda necesaria que hiciera aflorar en su interior la disposición natural al orden que ellos tenían al nacer.

Un niño de corta edad es capaz de disfrutar el orden. Parece increíble, pero es verdad: necesita orden y estabilidad en el ambiente que lo rodea.

Cuando un niño se acostumbra a tener los juguetes ordenados en el mismo lugar, tenderá a mantener el orden, lo hará como un juego más y encontrará satisfacción en hacerlo. Pero necesitará que sus padres o algunas personas mayores le sirvan de modelo, repetidas veces, para poder imitarlos. Se debe tener presente que en esa edad la capacidad de imitar constituye un instinto guía y que el ansia de repetir las cosas corresponde a un periodo sensitivo.

Para que los hijos puedan desarrollar el hábito del orden, además de enseñárselo debemos proporcionarles la posibilidad de ser ordenados (dos a cuatro años).

En ese sentido, conviene que dispongan de un cajón donde puedan guardar sus cosas. De este modo se les acostumbra a que cada cosa tiene su lugar, siempre el mismo. Así, vivir con orden les resultará relativamente fácil (instinto guía).

El orden debe extenderse a toda la vida del niño en forma rítmica, lo que le ayudará para su desarrollo físico, psíquico y espiritual:

1. Orden en los horarios de comida.
2. Orden en las horas de sueño.
3. Orden en el aseo personal: arreglo, necesidades fisiológicas, etcétera.
4. Orden en sus salidas de paseo, sus momentos de juego, etcétera.

Cuando sea posible, conviene respetar el orden en el desarrollo de los niños, ya que esto les ayudará a que más tarde tiendan a ser ordenados en todos los aspectos de su vida.

Según Arnold Gesell, el niño de ocho años tiende a ser desordenado. Por ejemplo, al traer los calcetines caídos y a no preocuparse por el arreglo personal; sin embargo, como a esa edad los niños suelen admirar a sus padres, con base en esa incentivación se les puede animar a esforzarse por el orden.

LA SINCERIDAD

El periodo sensitivo de la sinceridad tiene lugar entre los tres y los nueve años de edad. Se presenta en forma intensa durante los tres primeros años (entre los tres y los seis), y como una consecuencia de la justicia entre los seis y los nueve años.

En virtud del instinto guía, los niños tienen un concepto claro de la justicia, especialmente de la que corresponde a los valores de convivencia familia-amigos, y saben que las personas deben decir la verdad sin necesidad de haber recibido clases especiales sobre ninguno de estos conceptos.

En la primera fase viven la sinceridad por inclinación natural y desde los primeros momentos distinguen entre verdad y mentira: saben que la mentira es algo que no debe decirse.

Al alcanzar el uso de la razón comienzan a comprender el valor de la verdad y son capaces de esforzarse por vivirla. Así es como empiezan a desarrollar la sinceridad como virtud. De este modo se manifiestan al exterior, en sus palabras y en sus acciones, tal como son interiormente. La sinceridad es así una primera cualidad de la conciencia.

Al comienzo del periodo sensitivo se puede apreciar la gran sensibilidad que suelen tener los niños hacia el engaño, así como la facilidad con que detectan la sinceridad de sus padres. En este campo, como en todos, el ejemplo de los padres desempeña un papel fundamental, por lo que los niños pueden aprender tanto a amar la verdad como a preferir la mentira.

Por naturaleza, los niños tienden a ser sinceros, pero cuando no se fomenta en ellos esa costumbre pueden descubrir las grandes ventajas de saber mentir.

Es importante que los niños adquieran el hábito de decir la verdad desde pequeños, pues ella constituirá el cimiento que les facilite practicarla como una virtud.

Al dar ejemplo en los momentos que reclaman veracidad, los padres y las personas que conviven con los niños deben percatarse de la importancia de ser exigentes consigo mismos en este terreno. Si los padres cometen el error de mentir, es conveniente pasarlo por alto en el caso de que los niños no se hayan enterado, pero se impone reconocer el error delante de los hijos cuando los padres son descubiertos. El que los hijos comprueben que los padres se esfuerzan por ser mejores y que también a ellos les cuesta trabajo rectificar, puede constituir un ejemplo eficaz.

No se trata de dar un ejemplo perfecto, sino de esforzarse por ser mejores.

En este sentido es importante conocer la razón por la que un niño miente. Puede ser por fantasía, defensa, miedo, por llevar la contra o por presunción.

Falsear la verdad por obedecer a la fantasía es muy normal entre los tres y los cinco años, y no debe considerarse una mentira.

La mentira por defensa es peligrosa y debe amonestarse con firmeza, porque es fácil que termine por convertirse en un hábito.

Cuando los niños son mayores, entre los ocho y los nueve años, pueden llegar a mentir por soberbia. Ellos se dan cuenta de sus posibilidades: por ejemplo, sacan buenas calificaciones pero cuando se topan con un fracaso escolar no están dispuestos a admitirlos: la culpa fue del profesor. Otra modalidad más complicada es la de la mentira por halago: "Le diré lo que le gusta y así tendré menos problemas."

Cuando los padres analizan las causas que han provocado la mentira, están en mejores condiciones de razonar con sus hijos y de corregirlos.

En general, cuando se les corrige, no debe llamarse mentirosos a los niños. En realidad no son mentirosos ni desean la mentira. Lo que ha sucedido es que han dicho una mentira. En este caso resulta negativa la mentira, pero no ellos. Esta es la forma de motivarlos positivamente hacia el bien y de ayudarlos a esforzarse para ser lo que ellos saben que son realmente: sinceros. La mentira fue un accidente que pasó y que no querrán repetir.

Para inculcar la virtud en el niño, hay que suponerla en él.

LA LABORIOSIDAD

El proceso que conduce a saber trabajar tiene su comienzo natural en saber jugar. El niño que ha aprendido a jugar bien tiene las bases para estudiar, y si las ha desarrollado y ejercido de forma correcta, sabrá trabajar al llegar a la edad adulta. De aquí la importancia de que los niños aprendan a jugar y a estudiar.

EL JUEGO

La edad del juego conoce su máxima intensidad entre los cuatro y los siete años de edad, aunque ya desde los dos años los niños son capaces de entretenerse inventando sus propios juegos.

La afición por el juego se basa en cuatro periodos sensitivos primarios:

1. El afán de imitar.
2. El ansia de repetir.
3. La constante actividad.
4. La satisfacción de aprender.

Los niños aprenden jugando. Para ellos todo es un juego. Más tarde aprenderán estudiando y, cuando lleguen a la edad adulta, trabajando.

Así descubrimos que a los niños:

1. Les entusiasma aprender cosas nuevas.
2. Les produce alegría saber hacer las cosas.
3. No se cansan de repetirlas.

Para ellos todas las actividades son un juego. De esta manera, deben aprender a:

1. Utilizar juguetes didácticos.
2. Manejar plastilina para modelar objetos.
3. Hacer dibujos, pintar.
4. Ayudar en los quehaceres de la casa.
5. Ordenar su cuarto (como juego).
6. Vestirse.
7. Ayudar a su hermano menor.
8. Saber jugar con juguetes constructivos (como el *mecano*, por ejemplo).

Deben aprender a jugar, siempre de acuerdo con su edad.

Mediante el juego, a los niños se les debe ofrecer la oportunidad de:

1. Elegir la actividad que quieren realizar.
2. Comprometerse a jugar con el mismo juego, sin cambiarlo por otro cada cinco minutos.

3. Saber terminar cada juego.
4. Aprender a jugar solos y con otros niños.
5. Aprender a ayudar a los demás.

Como regla general, los juguetes simples, es decir, los que le permiten al niño emplear su imaginación, son más eficaces que los automáticos, que lo hacen todo sin la intervención del pequeño.

La edad de oro del aprendizaje suele terminar antes de los 12 años. Ochenta por ciento de los periodos sensitivos tienen lugar en ese lapso, que es aquel durante el cual los niños presentan menos problemas cuando se les sabe ayudar y cuando nos ocupamos de ellos en la medida de lo necesario. Es entonces cuando resulta posible evitar la mayor parte de problemas que surgen en los años críticos de la adolescencia.

En el campo de la educación resulta mucho más eficaz adelantarse a los acontecimientos y preocuparse, por anticipado, por los hijos; de modo que no sea necesario hacerlo después, a destiempo.

En educación, prevenir es más fácil.

EL ESTUDIO

De los siete a los 19 años los jovencitos experimentan la predisposición a estudiar. En esta etapa tienen lugar los periodos sensitivos que contribuyen a fomentar:

1. El afán de aprender.
2. La tendencia a la curiosidad.

Al joven estudiante le apasiona saber cosas nuevas, descubrir la naturaleza, la vida de las plantas y de los animales, etc., son los pasatiempos característicos de esta edad. También les gusta a los jóvenes destacar, y son capaces de esforzarse por ser los mejores. Por otra parte, los problemas familiares, los fracasos escolares sin importancia, ser rechazado por un grupo de amigos o no considerarse querido por sus profesores pueden ocasionar reacciones contrarias al estudio.

Cuando un niño de entre siete y 12 años no estudia, se debe pensar que existe un problema. La forma directa para que el niño se recupere consiste en descubrir, cuanto antes, el conflicto.

Un niño sano cuyo ambiente familiar es normal, debe querer estudiar. Lo contrario indica que algo está mal. Lo más probable es que la causa sea externa a él, pero, en cualquier caso, debemos averiguarla. Una vez resuelto el problema, es posible que la herida tarde en curarse.

Los periodos sensitivos por los que el niño está atravesando están a nuestro favor y, en general, el problema se puede corregir con amor, con motivaciones positivas y con paciencia.

El ser humano está llamado a perfeccionarse mediante el trabajo: ha nacido para trabajar, aunque el trabajo más conveniente dependerá de las condiciones de cada uno.

Hemos visto que jugar, ayudar en casa y estudiar es el trabajo de los niños. En la edad adolescente, el trabajo puede ser una buena alternativa en el periodo de vacaciones.

El ocio, la indiferencia y el consumismo son males conocidos de la sociedad actual, que conducen, en no pocas ocasiones, a vicios irreversibles. El descanso no consiste en no hacer nada, sino en cambiar de actividad y, en este sentido, el trabajo y el deporte son dos opciones convenientes.

Acostumbrarse a realizar un trabajo desde pequeños ayuda a los individuos a desarrollar la mayor parte de las virtudes.

LA GENEROSIDAD

El periodo sensitivo de la generosidad tiene lugar entre los siete y los 19 años de edad.

La generosidad es una de las virtudes humanas que más acerca a las personas a la felicidad. Se encuentra directamente relacionada con el amor y con la justicia, y para ejercerla debemos ayudarnos de la responsabilidad, la perseverancia y la fortaleza.

Son actos de generosidad: escuchar, agradecer, perdonar, ayudar... Y es garantía de una generosidad bien entendida la humildad que reconoce que somos administradores de nuestros bienes, de nuestro saber y de nuestra persona, y que el hecho de dar o de darnos a otros, constituye una manifestación de justicia y de amor que hace más felices a los demás y a nosotros mismos.

Entre las abundantes definiciones que se han dado de esta virtud, destaca la siguiente: la generosidad es un acto desinteresado de la voluntad, por el cual una persona se esfuerza en dar algo de sí misma con el fin de satisfacer una necesidad de otra persona buscando su bien. Es, por tanto, un acto libre.

El valor de la generosidad es muy difícil de apreciar, pues depende más del esfuerzo y de los motivos internos de la persona que entrega, que del acto exterior que nos es dado observar. Dar de lo que nos sobra o dar algo sin cierto sacrificio no supone generosidad.

Dar esperando alguna recompensa, buscando instintivamente que nuestro acto sea público, o para procurarnos el agradecimiento y la amistad de la persona que recibe, tampoco son formas genuinas de generosidad.

No es la cantidad que se da lo que mide el valor de la generosidad, sino el esfuerzo realizado por la pesona y las intenciones que le han movido a llevar a cabo ese acto. La mejor época para educar la generosidad se encuentra entre los siete y los 20 años.

Es conveniente explicarles a los jóvenes que la generosidad y el servicio a los demás son un deber de las personas cuya gratificación reside en sí mismo, en la alegría del deber cumplido y en la satisfacción de realizar un bien.

Además del ejemplo de los padres (una constante que no debe cambiar) hay que proporcionarles a los jóvenes distintas oportunidades para darse y también hay que enseñarles a buscarlas por sí mismos:

1. Ayudar en la casa.
2. Cuidar a un hermano.
3. Prestar cosas a un amigo.
4. Ceder en la elección de un programa de televisión.
5. Ayudar a un compañero a estudiar.
6. Saber perdonar a los demás.
7. Acordarse de dar las gracias.
8. Pedir las cosas por favor.

Éstas son, entre otras, algunas formas de reforzar la virtud de la generosidad.

Esquema de apoyo didáctico

Debido a su especial interés, se transcriben a continuación algunos ejemplos de generosidad vividos por padres e hijos y expuestos por unos padres en una *Escuela para padres* (véanse los cuadros 2 y 3).

Cuadro 2. Ejemplos de generosidad vividos por los padres.

- Fomentar la participación en la familia.
- Dar tiempo al que lo necesita.
- Valorar lo que se tiene.
- Acostumbrarse a perdonar y a olvidar.
- Escuchar a los hijos
- Compartir con los hijos las cosas y procurar que las cuiden.
- Enseñar el valor de las cosas y el esfuerzo que supone tenerlas.
- Distinguir entre lo necesario, lo conveniente y lo superfluo.

Cuadro 3. Ejemplos de generosidad vividos por los hijos.

- Jugar dando oportunidad de participar a los demás.
- Fomentar el juego en equipo y no acaparar.
- Ayudar a un hermano en los estudios y en las dificultades.
- Estar dispuesto a ayudar en casa sin que nos lo pidan.
- Saber ser agradecidos.
- Saber disculparse.
- Poner atención cuando nos hablan.
- Saber compartir.

LA RESPONSABILIDAD

La libertad es la capacidad de elegir el bien, pero no basta con la sola elección: además, hay que *hacerlo*. He aquí uno de los aspectos de la responsabilidad. El otro es el cumplimiento del deber. Cuando tenemos la obligación de hacer algo, el hecho de saberlo así, de aceptarlo libremente y de cumplir lo mejor posible; se llama *actuar con responsabilidad*.

Las virtudes humanas facilitan la responsabilidad, el orden, la constancia, la justicia, la generosidad, la prudencia y la obediencia ayudan a hacer bien las cosas.

El mejor periodo para el arraigo de la virtud de la responsabilidad es entre los siete y los 19 años de edad.

El amor a la justicia, la ilusión de ayudar, el deseo de quedar bien y el afán de superación son disposiciones que cooperan directamente con la necesidad de cumplir con el deber, sea éste elegido o imperado. Un elevado concepto de la responsabilidad es esencial durante la crisis de la pubertad y facilita un comportamiento positivo en la adolescencia.

Cuarta parte

Carácter y los estudios de los hijos

El carácter y los estudios[1]

Objetivo:

Conocer la relación que existe entre los diversos tipos de carácter y la inteligencia, con objeto de ayudar a los hijos a conocerse y a mejorar su aprendizaje.

Esquema de apoyo didáctico:

Esquema 1.

Desarrollo del tema (50 min):

El carácter y los estudios.

1. Los tipos de carácter y la inteligencia.
2. Influencia del carácter sobre la inteligencia en los emotivos.
3. La orientación del estudio en los emotivos.
4. Influencia del carácter sobre la inteligencia en los no emotivos.
5. La orientación del estudio en los no emotivos.

Descanso (20 min).

Trabajo individual (20 min):

Responder individualmente al cuestionario anexo, una vez por cada hijo que se tenga. Reunirse después con cada uno de los hijos para leer juntos las respuestas. Evaluar también qué tanto se conoce a cada uno de los hijos.

Sesión plenaria (10 min):

Comentar en forma grupal la conveniencia de este tipo de cuestionarios y sugerir algunas preguntas para completar el ejercicio.

[1] Basado en G. Castillo, *Los padres y los estudios de sus hijos*, EUNSA, Pamplona, 1983, pp. 285-303.

Esquema de apoyo didáctico

Esquema 1:

Son elementos del buen carácter:

1. Conciencia y responsabilidad.
2. Congruencia entre pensamiento y actos.

Psicológicamente hablando, el carácter es:

1. La peculiaridad de cada uno.
2. La manera como cada individuo enfrenta el mundo.

¿Cuántos caracteres hay? Tantos como personas.

LOS TIPOS DE CARÁCTER Y LA INTELIGENCIA

La orientación del estudio de los niños será más eficaz si se adapta a la situación de cada uno de ellos.

La estrecha relación entre la inteligencia y el carácter de cada persona ha sido estudiada por Le Gall, quien sostiene que:

Toda inteligencia está orientada en sus intereses y en sus aptitudes por el carácter al cual está ligada.[2]

Por ejemplo, se ha comprobado que determinadas aptitudes mentales y manuales no pueden aumentar si no van acompañadas de un desarrollo afectivo.

El tipo de carácter es un elemento importante de acuerdo con el predominio, en cada persona, de uno de los siguientes tres tipos de inteligencia:

1. *Concreto-intuitiva*: vinculada a los objetos y a la experiencia física inmediata.
2. *Imaginativa*: opera con símbolos e imágenes.
3. *Verbo-conceptual*: actúa mediante el instrumento del lenguaje.

En el lenguaje cotidiano se habla de "hombres de carácter", dándole al término "carácter" el sentido de un valor ético que se atribuye a aquellos

[2] *Cfr.* A. Le Gall, *Los fracasos escolares*, Universitaria, Buenos Aires, 1959, p. 27.

sujetos que en su actitud volitiva y en su modo de pensar están organizados de tal forma que ponen de manifiesto dos cualidades fundamentales: plena responsabilidad y consecuencia en su obrar y, por tanto, regularidad en su conducta.

"La fidelidad a sí mismo, la firmeza y la directriz unívoca de la vida, son las características principales que se toman en cuenta al hablar de formación y educación del carácter."[3]

Pero además del concepto ético, existe, asimismo, un concepto psicológico del carácter.

En su significación psicológica, el concepto de carácter designa la peculiaridad individual del hombre, la manera como se enfrenta con el mundo haciendo uso de sus distintas facultades, con todo lo cual adquiere su existencia individual una fisonomía que le diferencia de los demás.[4]

Algunas escuelas caracterológicas tienen un concepto determinista del carácter: lo entienden como una serie de disposiciones innatas que inclinan necesariamente a la persona en determinada dirección a lo largo de toda su vida. Aceptar ese planteamiento, empero, es negar una componente fundamental de la persona: la libertad; ya que, como es natural, si el hombre no es libre no puede mejorar.

La simple experiencia nos dice que las personas cambian y que ese cambio depende de su interacción con el ambiente y de la educación recibida. Mesnard sostiene, en este sentido, que el carácter tiene plasticidad suficiente como para ser considerado educable:

Debemos esforzarnos, después de haber reconocido el carácter de un individuo, en desarrollar sus potencialidades y eliminar sus defectos en la mayor medida posible. Así, la pedagogía se convertirá esencialmente en el arte de sacar el mejor partido de un carácter determinado. Resulta de toda evidencia que semejante operación requiere la colaboración de padres y maestros; pero, sobre todo, del principal interesado: el educando, protagonista de su propio proceso de mejora.[5]

Hay tantos caracteres como personas. Hay tantas tipologías del carácter como criterios para determinar cuál es el elemento común a los individuos de un mismo grupo o tipo. Aquí ofrecemos la tipología de la escuela francesa iniciada por Heymans y continuada por Le Senne, que parte de tres propiedades del carácter: la emotividad, la actividad y la resonancia (véase Matrimonio y familia, vol. I).

Emotividad. Es la conmoción que nos producen los acontecimientos de nuestra vida diaria.

El emotivo (E) se conmueve más fácilmente que el común de las perso-

---

[3] P. Lersch, *La estructura de la personalidad*, Scientia, Barcelona, 1968, p. 40.
[4] *Ibid.*, p. 40.
[5] P. Mesnard, *Educación y carácter*, Herder, Barcelona, 1973, p. 29.

nas. El no emotivo (nE) necesita una excitación fuerte para lograr conmoverse.

Los emotivos están más dotados para la inteligencia intuitiva.

Cuadro 1

		Abreviaturas
Emotividad	Emotivo	E
	No emotivo	nE
Actividad	Activo	A
	No activo	nA
Resonancia	Primario	P
	Secundario	S

Actividad. El activo (A) tiene la necesidad espontánea de actuar. El obstáculo se convierte para él en un motivo para actuar. El no activo (nA) duda, se desanima y, con frecuencia, claudica.

La actividad favorece la capacidad para tomar decisiones, emprender proyectos y aprender a partir del descubrimiento personal. Este carácter se relaciona con el espíritu práctico y con el optimismo. La no actividad suele crear una sensación de impotencia y origina actitudes de pasividad y de pesimismo.

Resonancia. Es la repercusión que las impresiones tienen sobre el ánimo de cada persona.

Para el primario (P), las impresiones afectan la conducta en el momento de la excitación, es decir, de una manera inmediata. Por ejemplo, suelen reaccionar en forma rápida ante las ofensas que reciben, pero pronto se olvidan de ellas.

En el secundario (S), las impresiones influyen en un momento posterior a la excitación y, al contrario de los primarios, tardan mucho más tiempo en reaccionar ante una ofensa, pero les toma mucho tiempo olvidar el disgusto.

El primario vive en el presente y le gusta el cambio. Estas disposiciones favorecen la capacidad de soltura, la rapidez de reacción y el entusiasmo. Por el contrario, dificultan la objetividad, la coherencia mental y la sistematización. El primario actúa frecuentemente de forma dispersa y superficial.

El secundario vive en el pasado, está aferrado a sus recuerdos, y con frecuencia es prisionero de sus rutinas y sus prejuicios. Todo ello facilita la reflexión, el orden, la sistematización, la perseverancia y la coherencia mental, si bien, origina lentitud.

La distinta forma en que se combinan las tres propiedades citadas da lugar a los ocho tipos de carácter, de los cuales ya hemos hablado:

1. Nervioso: (E, nA, P).
2. Sentimental: (E, nA, S).
3. Colérico: (E, A, P).
4. Apasionado: (E, A, S).
5. Sanguíneo: (nE, A, P).
6. Flemático: (nE, A, S).
7. Amorfo: (nE, nA, P).
8. Apático: (nE, nA, S).

Una clasificación como ésta es útil para conocer el carácter de cada niño, pero debe considerarse solamente como un punto de referencia y como una ayuda más, no como un fin en sí. De lo contrario se corre el riesgo de etiquetar la personalidad de los individuos, como si cada uno de ellos no evolucionara con el tiempo y con la educación.

INFLUENCIA DEL CARÁCTER SOBRE LA INTELIGENCIA EN LOS EMOTIVOS

EL NERVIOSO (E, nA, P)

1. Su inteligencia opera con imágenes.
2. Destaca por la imaginación viva y la expresión espontánea.
3. Mal dotado para la comprensión, la memorización y el razonamiento lógico.
4. Poca capacidad para el esfuerzo.
5. Prefiere las materias emotivas o con repercusiones sentimentales: geografía, psicología, historia, etcétera.
6. Rehúye las materias "frías", en las que se emplea más la abstracción: matemáticas, ciencias físicas, etcétera.

EL SENTIMENTAL (E, nA, S)

1. Su inteligencia está centrada en los objetos, por lo que puede considerarse de tipo concreto.

2. Tiene escasa aptitud para comprender.
3. Trabaja con interés, orden, método y le gusta hacer bien las cosas.
4. Se desalienta ante las dificultades.
5. Prefiere las materias relacionadas con sus intereses afectivos: historia, redacción, etc., y las que exigen aplicación y método: ortografía, escritura, idiomas, etcétera.
6. Rehúye las matemáticas y las ciencias físicas porque éstas exigen un esfuerzo prolongado.

El colérico (E, A, P)

1. Su inteligencia se inclina a lo concreto, lo inmediato, lo imaginativo y lo técnico.
2. Comprende con rapidez y demuestra capacidad de improvisación.
3. Está mal dotado para hacer síntesis.
4. Está habitualmente ocupado, pero es poco disciplinado en la realización del trabajo.
5. Prefiere las materias con aplicación práctica: lecturas, dibujo, declamación, geografía e historia.
6. Está mal dotado para las matemáticas y las ciencias físicas.

El apasionado (E, A, S)

1. Su inteligencia es verbo-conceptual, muy apta para la abstracción y el razonamiento lógico.
2. Posee capacidad inventiva, gran memoria, buena atención, imaginación y comprensión.
3. Tiene afición al estudio y le gustan todas las tareas. Es el prototipo del "buen alumno".
4. Destaca en matemáticas, ciencias físicas y naturales, etcétera.

LA ORIENTACIÓN DEL ESTUDIO EN LOS EMOTIVOS

El nervioso necesita disciplinar su trabajo. Para ello hay que ayudarle a centrarse en lo que hace y a organizarse, por ejemplo, por medio de un horario de estudio. También debe exigírsele que no se precipite y que termine como es debido las distintas tareas.

Este alumno requiere un control diario y muy concreto. Necesita proponerse metas relacionadas entre sí y de dificultad progresiva. Conviene renovar su interés por el estudio, con procedimientos del siguiente tipo: darle oportunidades para que tenga algún éxito, elogiar los buenos resultados, hablarle "por las buenas", evitando amenazas y reproches.

Conviene desarrollar hábitos de puntualidad, orden y responsabilidad en el trabajo por medio de objetivos fijos.

Al sentimental hay que infundirle confianza en sí mismo, mostrándole comprensión y cariño; también se le puede ayudar valorando sus éxitos, por pequeños que éstos sean, y restando importancia a sus fracasos. Hay que enseñarlo a ver el lado positivo de todas las cosas, con el fin de que sea más optimista. Asimismo, es preciso ayudarle a seguir un orden lógico en su razonamiento, de forma que extraiga alguna consecuencia de él. Por último, es interesante fomentar su participación en las actividades comunes, como los trabajos en equipo.

Al colérico hay que acostumbrarlo a que reflexione sobre cada tarea antes de iniciarla: que piense en qué consiste, cuál es el mejor procedimiento para llevarla a cabo, qué material necesita, etcétera. Conviene exigirle que trabaje con orden, que se concentre en una sola actividad a la vez y que termine todo lo que empieza. También sería útil ayudarle a elaborar y seguir un plan de trabajo y un horario de estudio.

Dada su dificultad para la abstracción, al colérico le conviene partir siempre de cuestiones concretas y actuales, y facilitarle la aplicación práctica de lo que ha estudiado. Nada mejor que respetar sus proyectos y tenerlo siempre ocupado.

El apasionado es el alumno que menos ayuda y orientación necesita, pero por esta misma razón hay que exigirle buenos resultados, cristalizar sus altas metas en ideales concretos. Hay que procurar que salga de su aislamiento participando en actividades comunes y orientando a otros estudiantes menos dotados que él.

INFLUENCIA DEL CARÁCTER SOBRE LA INTELIGENCIA EN LOS NO EMOTIVOS

Sanguíneo (nE, A, P)

1. Su inteligencia tiene muchos puntos fuertes: comprensión rápida, claridad y precisión en las ideas, capacidad crítica y flexibilidad.
2. Está mal dotado para la síntesis y le falta continuidad y sistematización en el pensamiento.
3. Le interesa todo y suele estar bien adaptado al ambiente escolar.
4. Es buen observador y muy independiente en sus opiniones.
5. Está especialmente dotado para las ciencias naturales, geometría, geografía, historia y dibujo.
6. No tiene incapacidad para ninguna materia escolar.

Flemático (nE, A, S)

1. Su inteligencia es de tipo conceptual; lenta, pero profunda.
2. Se adapta a todas las materias escolares.
3. Tiene buena aptitud para comprender lo esencial, ordenar, clasificar y sistematizar lo que aprende.
4. Está muy bien dotado para las ciencias abstractas.
5. Posee buena capacidad memorística y de concentración.
6. Tiene poca imaginación.
7. Trabaja en forma intensa y metódica: es regular y tenaz.
8. Tiene claro sentido del deber: es dócil y puntual.
9. Tiene dificultades para la redacción.
10. Está muy dotado para la geografía, historia, matemáticas, etcétera.

Amorfo (nE, nA, P)

1. Razona con mucha lentitud y de forma superficial.
2. Está incapacitado para el pensamiento abstracto.
3. No le interesa ninguna materia; huye de cualquier esfuerzo y se muestra indeciso, torpe, desordenado e inadaptado.
4. No se mueve si no lo "remolcan".
5. La falta de curiosidad hace que no observe ni lea nada por su cuenta.
6. No destaca en ninguna asignatura. Tiene capacidad aceptable en geografía, historia, dibujo y música.
7. Mal dotado, especialmente para las matemáticas.

Apático (nE, nA, S)

1. Carece del estímulo de la emotividad y de la ayuda de la actividad.
2. Es una inteligencia muy mal dotada para extraer lo esencial, para la abstracción y para el establecimiento de relaciones lógicas.
3. El pensamiento es incoherente y pobre en ideas.
4. No le interesa ninguna actividad escolar, lo que, unido a la falta de capacidad y de esfuerzo en todas las materias, origina malos estudiantes.

LA ORIENTACIÓN DEL ESTUDIO EN LOS NO EMOTIVOS

El sanguíneo necesita cultivar la sensibilidad. Este objetivo puede lograrse mediante las actividades relacionadas con el arte: pintura, música, etc. Hay que suscitar también motivos elevados para realizar el trabajo escolar y exigirle (con vigorosa autoridad) que desarrolle las tareas de manera puntual, ordenada y cabal.

Conviene que se le ayude a perseguir objetivos concretos en el estudio, aunque ello le suponga algún sacrificio. Necesita orientación y control en las lecturas con el fin de prevenir y corregir los riesgos que implica la avidez lectora.

Al flemático hay que sacarlo del reducido marco en el que vive. Ello supone despertar en él nuevas inquietudes e intereses, llevándolo del intelectualismo abstracto a la experiencia vivida, estimulando hábitos de convivencia y de participación; iniciándolo en nuevos conocimientos, ideas y puntos de vista; desarrollando en él virtudes como el compañerismo, la generosidad, etc.; introduciendo en su vida lo diverso y lo desacostumbrado, estimulando su creatividad, etcétera.

El amorfo necesita ser controlado muy de cerca en el estudio diario, sin admitir que ofrezca excusas para su pereza. Hay que fomentar en él también el desarrollo de hábitos de orden y de disciplina en la realización del trabajo. En su caso conviene combinar el trabajo individual para desarrollar actitudes de compromiso con el trabajo colectivo, a manera de estímulo para su falta de energía y su pasividad.

El método de enseñanza y de estudio adecuado para el amorfo debe ser activo y práctico. Se trata así de aprender haciendo a partir de problemas y de situaciones reales, así como por medio del descubrimiento personal.

Con el apático hay que combinar la motivación con la exigencia. Por una parte, convendrá rodearlo de un ambiente familiar que sea estimulante para su trabajo, interesarnos por lo que hace y proponerle también metas de dificultad progresiva.

Por otra parte, hay que controlar muy rigurosamente sus deberes escolares y fomentar en él hábitos de trabajo y actitudes de apertura y de colaboración con sus compañeros de estudio.

También es importante distraerlo del trabajo rutinario, procurando que se plantee propósitos diferentes cada día y que ensaye nuevos procedimientos de estudio.

Los métodos de enseñanza y estudio aplicables al apático deben ser activos.[6]

TRABAJO INDIVIDUAL

La educación familiar adecuada se inicia en la comprensión del modo de ser de cada uno de sus miembros. Esta comprensión exige un conocimiento objetivo del carácter, gustos, aficiones, talentos, etc., de nuestros hijos. El

[6] Este capítulo es una adaptación de G. Castillo, *Los padres y los estudios de sus hijos*, Minos, México, 1983, cap. XIII.

siguiente cuestionario persigue el propósito de diagnosticar, por una parte, qué tanto conocemos a nuestros hijos y, por la otra, de servirnos como herramienta para empezar a conocerlos mejor.

Responde individualmente el cuestionario (un cuestionario por cada hijo que tengas) y reúnete después con ellos para revisar las respuestas y evaluar qué tanto conoces a cada uno de tus hijos.

1. ¿Quién es el(la) mejor amigo(a) de tu hijo(a)?
2. ¿Cuál ha sido el logro que más le ha llenado de orgullo este año (a tu hijo)?
3. ¿Qué materia(s) le resulta(n) más atractiva(s) en su escuela?
4. ¿Cuál(es) le disgusta(n) más o le cuesta(n) más trabajo?
5. ¿Qué programa de televisión es su favorito?
6. ¿Qué deporte le gusta practicar más?
7. ¿Cómo se llama(n) su(s) maestro(s) predilecto(s)?
8. ¿Qué regalo le gustaría más recibir?
9. ¿Tiene algún apodo entre los vecinos o compañeros de la escuela? ¿Cuál es?
10. ¿Alguna(s) cosa(s) le produce(n) temor o vergüenza? ¿Cuál(es)?
11. ¿A cuál de sus parientes le gusta visitar más?
12. ¿Qué promedio de calificaciones tiene?
13. ¿Cuándo fue la última vez que jugaste con tu hijo(a)?
14. ¿Quién es la persona que, fuera del ámbito familiar, ha ejercido más influencia en tu hijo?
15. ¿De qué cosa(s) relacionada(s) con la familia se queja con mayor frecuencia?

Evaluación

Contar el número de aciertos después de confrontarlos con cada hijo. El puntaje obtenido se interpretará como sigue.

15-13 aciertos: Refleja preocupación por los hijos y un excelente canal de comunicación.

12-10 aciertos: El conocimiento de tus hijos indica buena observación y capacidad de escuchar lo que les agrada y lo que les desagrada. Un poco de iniciativa en recursos novedosos podría terminar por establecer una mayor corriente de comunicación familiar.

9-5 aciertos: Puede decirse que conoces a tus hijos. Sin embargo, este conocimiento mejorará si les dedicas más tiempo y estableces mayor comunicación familiar, con base en tu propia participación.

4-0 aciertos: Probablemente estás demasiado preocupado por tus propios asuntos o tus hijos son muy poco expresivos. Es tiempo de darle a la familia un lugar preponderante: salir juntos, ver menos televisión y platicar más en las comidas y en otras reuniones.

2

La responsabilidad de los padres en los estudios de sus hijos[1]

Objetivo:

Analizar la responsabilidad compartida por los padres y las escuelas en relación con los estudios de niños y jóvenes. Aclarar en qué deberes se traduce dicha responsabilidad.

Esquema de apoyo didáctico:

Esquema 1.

Desarrollo del tema (50 min):

La responsabilidad de los padres en los estudios de sus hijos.

1. La actuación de los padres en relación con los estudios de sus hijos.
2. Exigir en forma comprensiva.
3. Facilitar el estudio en casa.
4. Orientar algunos aspectos de la realización del trabajo.
5. Estimular a los hijos en su trabajo.

Descanso (20 min).

Trabajo en equipo (20 min):

Organizar al grupo en cinco equipos para trabajar en una de las siguientes cuestiones.

1. Exponer dos argumentos que sirvan de apoyo a la siguiente afirmación: "Los padres son responsables de los estudios de sus hijos."
2. Explicar la relación que existe entre las actitudes de los padres hacia los estudios de sus hijos y los valores de esos padres. Escoger cinco valores y analizarlos comparativamente.
3. ¿Qué tipo de motivación podría ser más eficaz respecto a los estudios de los hijos?
4. Una actitud frecuente en los padres es la de considerar las calificaciones de sus hijos como el punto central de su educación. ¿Cómo convencerlos de que no es así?
5. Elaborar un plan concreto de colaboración de los padres con el profesor, para una mejor adquisición de hábitos y de aprovechamiento escolar, por parte de los hijos.

Sesión plenaria (10 min):

Comentarios en grupo con base en las respuestas de los distintos equipos.

---

[1] Basados en G. Castillo, *op. cit.*, cap. IV.

Esquema de apoyo didáctico

Esquema 1:

El papel de los padres en relación con los estudios de sus hijos puede resumirse en cuatro acciones:

1. Pedirles que estudien, conociendo previamente la capacidad del hijo, su facilidad para memorizar y para expresarse, y averiguando si tiene un método e interés por las materias que estudia.
2. Facilitar el estudio y las tareas en casa. Para ello el niño debe contar con un horario y un lugar fijos. En la medida de lo posible, hay que respetar el silencio para que los estudiantes se puedan concentrar mejor.
3. Orientarlos en algunas tareas. Para esto hay que averiguar si cuentan ya con un método de estudio, si consultan el diccionario y si tienen un horario para estudiar.
4. Animar a los hijos en sus estudios: motivar es tarea permanente de padres y de maestros. Para ello se ha de valorar más el esfuerzo que los resultados. Se les alentará siempre y se contará con que no todos los niños son capaces de desarrollar estudios brillantes. Sin embargo, pueden ser excelentes trabajadores si se les valora como es debido.

Tiempo mínimo de estudio después de las horas escolares

Primaria:

1o. y 2o.:   media hora cada día.
3o. y 4o.:   una hora, con pausa o intervalo.
5o. y 6o.:   una hora y media, con pausa o descanso.

Secundaria:

Dos horas cada día, con descanso.

Preparatoria:

Tres horas cada día, con pausas.

Escuela superior o facultades universitarias:

Cuatro horas cada día.

LA ACTUACIÓN DE LOS PADRES EN RELACIÓN CON LOS ESTUDIOS DE SUS HIJOS

Existen algunos padres que:

1. Se preocupan por los estudios de sus hijos sólo cuando conocen sus calificaciones.
2. Sólo manifiestan interés por la calificación o resultado, sin considerar por qué se ha producido.
3. Entran en contacto con los profesores solamente cuando el niño reprueba. Mientras aprueba, no hay problema.
4. Piensan que la responsabilidad de los estudios de sus hijos es exclusiva de los profesores.

¿Debe ser esto así?

Aunque la escuela funcione bien, los hijos sean inteligentes y trabajadores y los padres no tengan tiempo ni estudios superiores, corresponde a estos últimos desempeñar un papel concreto en relación con los estudios de sus hijos.

Una de las razones de lo anterior es que no puede separarse radicalmente al hijo de familia del alumno.

En una época en la que los hijos pasan casi todo el día en el aula y en la que su principal problema es cómo aprender o cómo aprobar, tendría poco sentido que los padres no intervinieran habitualmente en este mundo.

La mayor parte de las satisfacciones, preocupaciones, dificultades, intereses, amistades, etc., de los hijos surgen a propósito de su vida escolar.

No se puede conocer al hijo sin tener en cuenta cómo es y cómo se comporta en el ambiente escolar.

Tampoco es posible comprender y educar a los hijos haciendo a un lado su vida de estudiantes.

La educación no se produce en el vacío, sino en situaciones concretas de trabajo y de convivencia.

Los padres deben saber que el trabajo escolar en casa y fuera de ésta, es una ocasión y un medio insustituíble para desarrollar muchas virtudes humanas. Si a los hijos se les ayuda y se les orienta en la realización de un trabajo bien hecho, cuidando la manera de llevarlo a cabo y de presentarlo, ellos serán cada vez más laboriosos, ordenados, responsables y perseverantes.

La educación intelectual es una misión fundamental de los maestros, pero no es exclusiva de ellos. En la educación de los hijos en todos sus aspectos, los padres tienen y conservan siempre la responsabilidad principal: ellos son, en efecto, los primeros y los principales educadores.

Los padres pueden y deben delegar algunas tareas en la escuela, pero no deben desentenderse totalmente de ninguna de ellas.

¿Quiere ello decir que los padres deben ser también profesores de sus hijos? No, por supuesto. Más bien, quiere decir que a los padres les corresponde conocer cómo se desarrolla habitualmente el estudio de sus hijos y estar dispuestos, además, a colaborar con los profesores en la medida en que sea necesario.

No se trata de sustituir a los profesores, sino de complementar la acción de éstos actuando desde otro ángulo, pero abarcando los mismos objetivos. Es verdad que el trabajo escolar se desarrolla, en su mayor parte, en el centro educativo, pero conviene no olvidar que los momentos de trabajo personal suelen tener lugar más a menudo en el hogar, y es precisamente esta situación la que reclama mayor ayuda y orientación.

Preocuparse de los estudios de los hijos únicamente cuando llegan las calificaciones equivale a no preocuparse de verdad:

1. Hay que conocer día a día qué ocurre con el estudio.
2. Las dificultades que se presentan.
3. Si los hijos tienen o no motivos suficientes para trabajar.
4. Si aprovechan bien el tiempo.
5. Hay que preocuparse con frecuencia por la forma en que puede contribuirse para que los hijos tengan más interés, sean más constantes, aprendan a organizarse mejor y perfeccionen su método de estudio.

Aplazar la preocupación hasta el momento en que se conocen los resultados sirve de muy poco, puesto que entonces ya no es posible influir sobre las actitudes del hijo ni se está en condiciones de comprender la calificación obtenida.

Preocuparse de los estudios de los hijos sólo cuando éstos reprueban es todavía menos conveniente, porque, aparte de la injusticia que ello supone, no valorar lo que ellos hacen bien conduce a un sesgo negativo de las relaciones con los hijos, creándose así en el hogar un clima muy poco propicio para el estudio.

EXIGIR EN FORMA COMPRENSIVA

La exigencia de los padres no debe limitarse al rendimiento suficiente de los hijos.

El rendimiento suficiente consiste en la comparación de las calificaciones obtenidas con los contenidos que eran el objetivo del aprendizaje.

Claro que hay que darle importancia a este tipo de rendimiento, pero cuando se hace prescindiendo de las características personales de cada alumno, entonces se comete una injusticia y se desmotiva a los hijos.

Los maestros y los padres deben preocuparse por saber si ese rendimiento es o no satisfactorio en cada caso en particular. Puede suceder, por ejemplo que una nota de "suficiente" haya supuesto un gran esfuerzo para un muchacho, en tanto que para otro no haya implicado mayor empeño.

El rendimiento satisfactorio consiste en la comparación de los resultados obtenidos con las posibilidades personales.

En vez de resultados, los padres deben exigirle a sus hijos un esfuerzo suficiente y un trabajo bien hecho.

El grado y tipo de exigencia se apoyan, por tanto, en el conocimiento de lo que cada hijo sabe, puede y requiere en cada momento. Por eso es necesario que los padres obtengan información escolar sobre su hijo mediante diversos canales.

Esa información debe referirse a los siguientes puntos:

1. Al desarrollo de sus capacidades mentales.

   a) Su capacidad de concentración.
   b) Su modo de razonar.
   c) Su buena o mala memoria.
   d) Su facilidad para expresarse oralmente y por escrito.

2. Al buen funcionamiento de sus facultades básicas.

   a) Ve y oye bien.
   b) Está bien alimentado.
   c) Su psicomotricidad es buena.

3. Al método de estudio.

   a) Si sabe proponerse metas jerarquizadas en su trabajo.
   b) Si estudia en forma activa.
   c) Si tiene una velocidad y una comprensión lectoras adecuadas.
   d) Si es capaz de autoevaluar lo aprendido.

4. Al grado de interés y de esfuerzo que invierte en cada materia.
5. A las dificultades que experimenta para entender determinados temas o materias.

Los padres deben averiguar qué es lo que los maestros esperan de sus hijos en las diferentes materias y qué criterios van a utilizar para valorar su rendimiento.

La información académica le permite a los padres exigir a cada hijo, en forma comprensiva y realista, así como proponerle objetivos adecuados a sus circunstancias.

¿A qué canales pueden recurrir los padres para obtener información sobre los estudios de sus hijos?

Proponemos los siguientes:

1. La boleta de calificaciones.
2. Las entrevistas periódicas con los maestros.
3. Las conversaciones con cada hijo.
4. La observación del trabajo personal del hijo en la casa.
5. Los informes especiales que se elaboran en la escuela sobre los alumnos que así lo requieren.

FACILITAR EL ESTUDIO EN CASA

Es esencial que los padres y demás familiares que conviven con el alumno respeten el tiempo de estudio de este último. Para ello, es aconsejable que establezcan un acuerdo sobre la distribución racional del tiempo, tomando en cuenta la hora en que los hijos llegan de la escuela hasta que se acuestan, programando las actividades en conformidad.

Esa programación deberá incluir momentos para ayudar en la casa, para estudiar, para convivir y para descansar, e incluso, si así es posible, para cultivar alguna afición.

Una vez establecida la distribución del tiempo, toda la familia debe procurar respetar los momentos de estudio.

Esta programación del tiempo es otro elemento necesario para que los hijos aprendan a organizarse y para que los padres tengan un punto de referencia en qué apoyar su exigencia respecto a las tareas en casa.

Hay que evitar los siguientes extremos:

1. Que los hijos trabajen con los libros desde que llegan de la escuela hasta que se acuestan.
2. Que pospogan el estudio hasta la última hora, o que lo realicen quitándole tiempo al sueño.

El solo hecho de que los padres respeten el tiempo asignado al estudio de los hijos es una manifestación de que valoran esa actividad como un trabajo serio que exige concentración, esfuerzo y constancia —y que, por lo mismo, merece la mayor consideración por parte de los mayores.

Los padres deben procurar facilitarles a sus hijos un lugar permanente de estudio. Así, el niño asociará automáticamente ese lugar con su actividad estudiosa.

El lugar de estudio debe reunir ciertas condiciones fundamentales:

1. Estará alejado de los ruidos molestos y de los objetos que causen distracción (teléfono, T V, revistas, etc.).
2. Tendrá una iluminación adecuada.
3. Contará con el material de trabajo necesario: libros de texto, diccionarios, instrumentos para dibujar, etcétera.

Lo importante es que el local facilite la concentración y el aprovechamiento del tiempo.

Además del ambiente material, también es importante el ambiente humano y cultural que prevalece en casa. Hay hogares donde existe un "clima de estudio". Es vital que el estudio de los hijos sea tema de conversación en la familia, que los padres tengan afición a la lectura y afán de aprender, y que se vaya formando en la casa una biblioteca. Es, asimismo, conveniente que se valoren los programas de televisión de interés cultural, el teatro, los documentales, los conciertos, etcétera.

Para crear en los hijos interés por saber, los padres deben desarrollar en sí mismos esa tendencia.

En cuanto a los requisitos para crear en la casa un ambiente estimulante desde el punto de vista cultural, cabe señalar, en primer lugar, que se puede carecer de estudios académicos y, no obstante tener cultura, o a la inversa.

Hay personas que sin haber cursado estudios superiores son cultas porque adquirieron la cultura por otras vías, no menos válidas: la lectura, el trabajo, las relaciones humanas, el desarrollo de algunas aficiones y, sobre todo, por el hábito de utilizar la inteligencia.

La cultura es el interés por la humanidad y sus obras.

ORIENTAR ALGUNOS ASPECTOS DE LA REALIZACIÓN DEL TRABAJO

Los padres deben mantenerse informados de cómo se desarrolla el estudio de sus hijos y estar dispuestos a colaborar en algunos aspectos del mismo.

Uno de estos aspectos es el método de estudio. La experiencia nos dice que la inmensa mayoría de los jóvenes no saben estudiar. Los siguientes malos hábitos de estudio son muy frecuentes:

1. El memorismo: aprender todo de memoria.
2. Estudiar simplemente para aprobar.
3. Carecer de criterios adecuados para organizar el trabajo y distribuir el tiempo de estudio.

A continuación ofrecemos una serie de orientaciones que le permitirán a los padres ayudar a sus hijos en el estudio:

1. Sugerirles que estudien con papel y lápiz en la mano, para que el estudio sea activo y favorezca la concentración. Así podrán ir tomando apuntes de lo más importante.
2. Estimularlos para que mejoren su expresión verbal o escrita.
3. Enseñarles a buscar palabras en el diccionario, o a manejar una enciclopedia o un atlas, así como a interpretar una gráfica, etcétera.
4. Orientarlos en la distribución del tiempo: que dediquen más o menos tiempo a cada materia según su importancia y dificultad, y que comiencen por lo más difícil. Que tengan también, un horario fijo de estudio.
5. Que se preocupen por tener el material que requiere cada materia y que lo sepan conservar en buen estado.
6. Que no se precipiten en la realización de las distintas tareas o en la solución de los problemas, sino que, por el contrario, se tomen el tiempo suficiente para pensar, sabiendo afrontar, con paciencia e inteligencia, la dificultad que esas tareas entrañan, y evitando pedir ayuda innecesaria. Así podrán adquirir el hábito de la reflexión.

En la orientación para la realización del trabajo no sólo importa el "qué", sino también el "cómo". Se da el caso de padres que están bien informados acerca de los estudios de sus hijos porque dedican tiempo a orientarlos y, sin embargo, resultan ineficaces en cuanto al modo de hacerlo.

Un error frecuente consiste en sermonear a los hijos, censurándolos y regañándolos constantemente debido a su falta de orden y limpieza, a su precipitación o a su expresión incorrecta.

Se olvida a veces que en todas estas cuestiones en las que el joven necesita tiempo para mejorar, requiere, asimismo, la experiencia y la orientación de sus padres y profesores.

Se trata de orientar con sentido positivo no considerando las fallas de los hijos como defectos provenientes de su mala disposición, sino como limitaciones propias de su edad. Por eso hay que procurar centrarse no tanto en lo que hacen mal como en los pasos a seguir para hacerlo bien; hay que apoyarse en sus puntos fuertes, en lo que dominan, a fin de contrarrestar lo que no saben hacer; en una palabra, se intentará estimular frecuentemente a los hijos en su trabajo, ayudándoles a descubrir los motivos para mejorar.

Se debe orientar contando con el hijo, no prescindiendo de él ni de su opinión.

Orientar no es imponer unos procedimientos, sino proporcionar a cada hijo la información pertinente acerca de la naturaleza de su trabajo y de sí mismo, de tal modo que a partir de ello deduzca consecuencias personales y desarrolle su iniciativa y su estilo característico de trabajo.

Para exigir y controlar a los hijos sin coartar su iniciativa, puede ser muy útil preguntarles: ¿Qué tienes que hacer hoy? ¿Cuándo vas a hacerlo? ¿Cómo vas a hacerlo? ¿Cómo sabrás si lo has hecho bien?

Es fundamental que los hijos conciban el estudio como su responsabilidad, la cual no disminuirá por el hecho de que los orienten o ayuden de algún modo.

No se trata de exigir poco en todos los aspectos del estudio, sino de exigir mucho en contados aspectos. En consecuencia, hay que seleccionar objetivos concretos para cada hijo, así como el momento o situación pertinentes. Entre esos objetivos podrían figurar los siguientes:

1. Que comiencen a trabajar a la hora establecida.
2. Que consulten en el diccionario las palabras desconocidas.
3. Que mejoren su escritura por medio de la caligrafía.
4. Que aprendan a sintetizar un tema, etcétera.

ESTIMULAR A LOS HIJOS EN SU TRABAJO

Hay que saber vigilar y estimular a los hijos en relación con su trabajo.

Si los padres los motivaran lo suficiente y, además, lo hicieran bien, posiblemente esto bastaría para ayudar a los hijos en sus estudios. La realidad, por desgracia, es otra: se les exige más de lo que se les estimula y se les exige mal, de forma contraria a la motivación: con gritos, amenazas, prohibiciones, sermones y chantajes.

Sin embargo, toda persona necesita ser estimulada constantemente en su trabajo, por lo que motivar a los hijos deberá ser una actitud permanente de los padres.

Todo cuanto se ha aconsejado en relación con el estudio de los hijos será estimulante para ellos si se consigue hacerlo bien.

Recordemos los puntos fundamentales:

1. Facilitarles un lugar de trabajo.
2. Crear un clima de estudio.
3. Valorar más el esfuerzo que los resultados.
4. Proporcionarles información sobre lo que tienen que hacer y cómo deben hacerlo.
5. Mantener contacto periódico con los maestros.
6. Orientarles acerca del método de estudio.
7. Exigir en algunos aspectos en cada ocasión y tener en cuenta el punto de vista del hijo cada vez que se le oriente.
8. Recalcar lo que hacen bien.

Un elemento especialmente estimulante es que los padres desarrollen en sus hijos la convicción de que cada uno de ellos tiene mucho de bueno, que crean en sus posibilidades, que tengan fe en ellos con el fin de que los jóvenes puedan adquirir confianza en sí mismos.

A pesar de tener problemas con el estudio, un niño tiene posibilidades que puede desarrollar y mejorar si hay alguien que lo estimule y ayude.

Recordemos que no todas las personas están dotadas para el estudio. Hay quienes pueden desarrollar su intelecto y hay quienes harían mejor un trabajo contando sólo con la educación básica, ya que no tienen facilidad para la educación superior. Cada persona vale por lo que es, no por lo que otros esperan que ella haga. Además, no porque se nos dificulte un área de trabajo vamos a dejar de intentarlo en otras en las que sí podemos mejorar como personas.

Es vital reconocer el trabajo bien hecho y valorarlo.

El niño tiende a repetir las experiencias que lo han conducido al éxito y a rechazar las que lo han llevado al fracaso.

La persona es más sensible a la alabanza que al reproche.

Descubrir y reconocer las cualidades positivas de un hijo, aun cuando ellas no sean muchas, es un buen procedimiento para animarlo a desarrollarlas aún más.

Los padres deben fomentar que sus hijos encuentren en sí mismos motivos para aprender y para mejorar el desempeño de sus tareas.

La labor de descubrir nuevas motivaciones corre a la par con la de utilizar los incentivos como es debido, asignando, según se requiera, premios y castigos. Con todo, es más eficaz la motivación que la incentivación, porque la primera está más relacionada con las actitudes profundas de la persona, pero, como sea, ello no le resta utilidad a los incentivos.

El premio consiste en la concesión de un privilegio material o moral con el fin de reforzar el comportamiento deseado por el educador. Para que el premio sea educativo, debe reunir algunas condiciones: hay que utilizarlo, por principio, con mesura y prudencia. Si se abusa de los premios existe el riesgo de que los hijos actúen sólo por la gratificación y no por otros fines más desinteresados. Esta actitud da lugar a expresiones de chantaje como la siguiente: "Si hago esto, ¿qué me darás?"

Otra condición consiste en evitar las recompensas económicas o los regalos que se otorgan por sistema. Es preferible conceder algo que esté relacionado con sus aficiones y preferencias: por ejemplo, llevarlos de excursión, regalarles un libro sobre un tema que les interese, etcétera.

Para que sean eficaces, los premios deben establecerse a corto plazo. Por ejemplo, se le puede decir a un hijo en septiembre que, si aprueba, en junto se le regalarán unos patines. Pero semejante promesa seguramente influirá muy poco en su rendimiento, porque al hallarse tan lejano el premio se olvidará de él en el momento de estudiar. En cambio, prometerle que el domingo podrá ir a cierto lugar que le gusta, si durante la semana se esfuerza en sus tareas, es en un premio a corto plazo difícil de olvidar.

El castigo, por su parte, es imprescindible en algunas ocasiones y puede ser un medio para estimular la conducta.

El bajo rendimiento escolar no siempre merece castigo. Hay muchos casos en los que el niño ha hecho todo lo que ha podido y por causas ajenas a su voluntad no aprueba. De modo que sólo puede ser objeto de castigo la falta de esfuerzo, el desorden sistemático en la realización del trabajo, el descuido de las tareas, etcétera.

Para que el castigo sea educativo, deberá reunir las siguientes condiciones:

1. Que no sea un simple desahogo del enojo de los padres.
2. Que sea proporcionado a la falta cometida.
3. Que esté relacionado con la forma de ser de cada hijo.
4. Que se explique el porqué de la sanción.
5. Que el hijo tome parte activa y voluntaria en la superación de su falta.
6. Podrían ser útiles las siguientes preguntas:

   a) ¿Qué opinas de lo que has hecho?
   b) ¿Reconoces que has hecho mal?
   c) ¿Cómo piensas reparar tu falta?

CONCLUSIÓN

Los estudios desarrollan hábitos intelectuales: ejercitan la inteligencia, mejoran la forma de pensar, de razonar y de resolver problemas, de sintetizar y de analizar, y también ayudan a desarrollar otras capacidades y cualidades.

Los padres son los primeros responsables de la educación de sus hijos. Ellos son los titulares, es decir, los administradores de la misma. Los padres, sin perder la titularidad (timón de la educación), delegan en la escuela y en los profesores ciertos aspectos de los estudios de sus hijos. Téngase presente que *delegar* no es *abdicar*.

Los hijos necesitan sentir la autoridad de sus padres en la cuestión de sus estudios, y saber que ella tiene por objeto ayudarlos a desarrollar sus capacidades, a animarlos y a darles aliento para que puedan mejorar.

Quinta parte

La autoridad educativa

La autoridad en la familia

Objetivo:

Aclarar el concepto de autoridad, como persona que influye positivamente en el educando.

Esquemas de apoyo didáctico:

Esquemas 1 y 2.

Desarrollo del tema (50 min):

La autoridad en la familia.

1. ¿Qué es, en última instancia, la autoridad?
2. Autoridad-presiones ambientales.
3. La autoridad paterna en los antiguos mexicanos.

Descanso (20 min).

Trabajo en equipo (20 min):

Lectura, individual o en grupos pequeños, del texto de Jerónimo de Mendieta: *Plática o exhortación que hacía un padre a su hijo.*

Sesión plenaria (20 min):

Resolver el cuestionario final.

Esquema de apoyo didáctico

Esquema 1:

LA AUTORIDAD EN LA FAMILIA

Todos deben ejercer la autoridad por amor a sus hijos, pero muchos padres tienen miedo de mandar.

El autoritarismo responde a gustos, manías, prejuicios o afán de dominio. Lo que genera es rebeldía.

Otra modalidad del autoritarismo es el paternalismo o la sobreprotección.

La autoridad debe responder a las necesidades de mejora del sujeto. En este caso, genera respeto.

Obedece libremente el que hace suyo lo que le mandan.

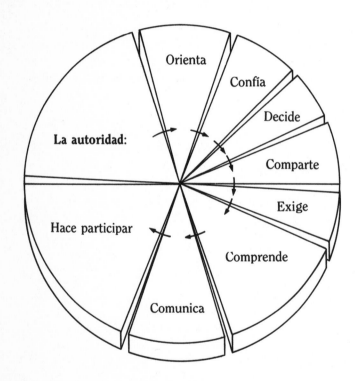

¿QUÉ ES, EN ÚLTIMA INSTANCIA, LA AUTORIDAD?

La autoridad es el poder que tiene una persona sobre otra que le está subordinada, como el poder de los padres sobre los hijos o el de los maestros sobre los alumnos. Sólo en sentido positivo puede hablarse de verdadera autoridad, es decir, cuando ella se ejerce con la disposición de prestar al otro una ayuda.[1]

En la familia, la autoridad corresponde a los padres y los hijos deben beneficiarse de su autoridad ejercida correctamente. En este sentido, la autoridad es una influencia positiva que nutre la libertad de cada hijo y la acrecienta.

La autoridad no sólo sirve para la mejora del hijo y de la familia, sino que apunta decididamente a la mejora de la sociedad.

La autoridad es la fuerza que sirve para sostener y para acrecentar.

Referida a una institución educativa, ¿qué es lo que debe ser sostenido y acrecentado? La educación. Es decir, cada hijo o cada alumno debe mejorar en su proceso educativo.

La autoridad es servicio, no dominio.

Los padres tienen miedo de mandar.

Muchos padres de familia se abstienen de dar órdenes por miedo a equivocarse. Olvidan aquello de que *más vale educar con deficiencias que no educar.*

No basta que los padres de familia sepan que tienen autoridad. Además, necesitan saber que son capaces de ejercerla y que deben hacerlo por amor a los hijos.

La autoridad es un servicio que implica el poder de decidir y de sancionar; es una ayuda que consiste en dirigir la participación de los hijos en la vida familiar y en orientar su creciente autonomía, responsabilizándolos.

La autoridad es un componente esencial del amor.

Ser exigentes con cariño, serenidad y buen humor, supone una serie de virtudes en los padres. El buen humor permite colocar sobre los hombros de una persona su propia responsabilidad, sin aplastarla. Se apoya en el optimismo y en la capacidad de ver, en primer término, lo bueno y lo positivo y en apoyarse en ello para la educación de seres perfectibles.

La voluntad se mueve mejor por el amor de los padres que por un elemento externo, por profesional que éste sea.

[1] Etimológicamente, la palabra "autoridad" deriva del término *auctor*, que significa "creador", "autor", "instigador", "promotor", que a su vez proviene del verbo latino *augere*, que significa "aumentar", "promover", "hacer crecer".

Así, *autoritas* significa prestigio e influencia y denota a la persona que merece adoptarse como modelo o ejemplo.

Entre las dificultades que encuentran los padres de familia para ejercer su autoridad podemos encontrar la falta de energía y de constancia, la resistencia a las frustraciones y la ausencia de serenidad y de capacidad de decisión.

Una persona puede ser vacilante, indecisa, incapaz de recoger información y estar poco acostumbrada a pensar, rígida, incongruente y fácilmente influible. Todas estas limitaciones afectarán su decisión para ejercer su autoridad.

La consecuencia de éstas y otras posibles limitaciones personales es que hay padres de familia que, en el obligado ejercicio de su autoridad, abdican, actúan con miedo, violentamente y no de un modo sereno y permanente, lo cual les impide ser oportunos, reconocer los problemas de sus hijos y, sobre todo, ayudar a la mejora de los demás mediante la previsión.

El ejercicio arbitrario de la autoridad (autoritarismo) no parte de las necesidades concretas de mejora de cada individuo, sino de los gustos, de los prejuicios y, a veces, de las manías de los padres.

Dada la rebeldía que genera este tipo de autoridad, a menudo conduce a su propia crisis, es decir, al abandono de su ejercicio.

Existe una modalidad del autoritarismo: el paternalismo o la sobreprotección, que se caracterizan por querer sustituir al hijo en su pensamiento, en su decisión e incluso en su acción, en lugar de orientarlo, comprenderlo y exigirle de acuerdo con sus posibilidades.

Esquema 2:

AUTORITARISMO

Sobreprotección
- Falso concepto del amor y de la libertad.
- Miedo al fracaso.
- Falta de confianza en la educación.
- Falta de actitud participativa del hijo.

AUTORIDAD-PRESIONES AMBIENTALES[2]

La autoridad no es sólo una cualidad de los padres, derivada de su deber de educar y de la coherencia entre lo que piensan, lo que hacen y lo que exigen.

La autoridad es también una relación entre padres, hijos y ambiente.

[2] Basado en Otero, *Orientación familiar. Autonomía y autoridad en la familia*, EUNSA, Pamplona, 1975, pp. 25-33.

De ese ambiente que empieza a dilatarse en el círculo familiar, constituido por los abuelos, tíos y primos, y que continúa en la vecindad (en la ciudad o en el pueblo), luego en la región y en el país, y que se extiende a todo el planeta por los medios que lo ponen a nuestro alcance.

El ambiente, así entendido, ofrece muchas cosas positivas:

1. Hay más medios aprovechables para la educación.
2. Hay más posibilidades de ayuda a los padres.

Pero también se incrementan las influencias negativas. El técnico publicitario pretende que se gaste más, no mejor, mientras el educador pretende que se gaste mejor, no más: los objetivos de una sociedad de consumo no coinciden con los objetivos de la educación.

Basta observar con alguna atención los anuncios de la televisión. Por ejemplo: ¿qué padres son capaces, luego de ver una serie de comerciales, de mantener un régimen familiar de cierta austeridad?

También se da una presión ambiental sobre la autoridad de los padres, una confusión generalizada nacida de la desorientación de quienes debieran orientar y de la inseguridad de quienes adoptan como único criterio: *todo lo nuevo es bueno y todo lo viejo es malo*, etcétera.

Esas presiones externas fomentan los antivalores en la familia, especialmente en las relaciones conyugales. De este modo, tiene lugar una inversión de valores que genera una grave confusión en las cuestiones básicas y que da lugar a actitudes de irresponsabilidad, deslealtad y arbitrariedad.

Mal pueden ejercer su autoridad unos cónyuges que son víctimas de la confusión originada por la manipulación de los valores.

Mas, a pesar de todas esas dificultades, la autoridad de los padres es necesaria. ¿Cómo?

1. Con calma, con serenidad.
2. Con perseverancia.
3. Sin dramatizar.
4. Sin juzgar.
5. Con cierto sentido del humor.
6. Sin nerviosismo.
7. Sin alterarse.
8. Mediante razones (pocas y con pocas palabras).

Cada cónyuge debe respetar su estilo personal de autoridad y el del otro. Lo importante es insistir: si no es posible hacerse obedecer a la primera, entonces debe intentarse la segunda o la tercera.

Insistir es la clave.

Puede recurrirse a distintas palabras y a distintas formas, sea con firmeza o con flexibilidad. Hay cuestiones en las que la autoridad falla un día, quizá porque el tema no está aún maduro. Entonces no hay que insistir ese día, sino dejar pasar un tiempo. Unos días más tarde se volverá sobre el asunto en cuestión. ¿Y, entretanto? ¡Entretanto puede elaborarse todo un plan de acción si el tema es importante! Así, se planificará una conversación informal, un encargo, una intervención oportuna de otra persona, etcétera.

Es imprescindible estar convencidos de la necesidad de mandar, de ejercer una autoridad de calidad si no se quiere sufrir una derrota como educadores.

"Se ejerce la autoridad como en el *arte ecuestre*", decía un padre de familia: llevando al hijo de cerca, sintiéndolo en la mano, como al caballo, sin jalarle demasiado la rienda, pues de lo contrario, correría el riesgo de encabritarlo, pero tampoco soltándosela demasiado, pues entonces se desbocaría fatalmente.

Son necesarios el ejemplo y la autoridad.

Los padres deben estar convencidos de que sólo su influencia educativa puede contrarrestar lo negativo de los condicionamientos ambientales actuales.

Con ese fin podrían indicarse algunas normas relativas al ejercicio correcto y perseverante de la autoridad. Por ejemplo:

1. Establecer previamente las reglas del juego. Éstas son normas aceptadas por todos y exigibles a todos. Son pocas en número, pero deben ser respetadas por padres e hijos.
2. Exigirse, por lo menos a sí mismos, en la lucha constante en que se desea conseguir lo que se manda.
3. Ponerse de acuerdo con el otro cónyuge.
4. No separar la comprensión y el cariño de la exigencia.
5. Ser sobrio en el ejercicio de la autoridad. Saber delegar en los hijos mayores algunas áreas de la autoridad.
6. No separar la participación de la responsabilidad. Utilizar toda la imaginación para idear situaciones de participación para los hijos.
7. Saber resistir a las dificultades y las frustraciones. No desanimarse nunca, pase lo que pase. La autoridad puede perderse y también recuperarse. Hay que pedir la ayuda de un amigo o de un profesor de los hijos.
8. Hay que destacar siempre lo positivo, en primer lugar.
9. El comportamiento correcto de una persona depende de tres condiciones básicas:

    a) Tener ideas claras.
    b) Ser consecuente con esas ideas.
    c) Saber comunicarlas.

Hay que tener paciencia para aclarar, de diversos modos, algunas de las ideas básicas. Para ello los padres deben reflexionar sobre esas ideas y profundizar paulatinamente en su contenido. Así podrán hablar de ellas dándoles cada vez un giro diferente y con el entusiasmo que acompaña a todo descubrimiento.

10. El ejercicio de la autoridad puede lograrse en un clima de confianza que no excluye actos de energía, de enojo, de exigencia serena y donde es posible señalar clara y brevemente lo que no está bien, etcétera.

¿Cómo se logra esta confianza? Sin rechazos y sin comentarios en tanto que el hijo no termine de exponer su punto de vista, acostumbrándolo a ser conciso y sintético, y sin dejar de aclararle algunas cosas después, con brevedad y sin dramatizar.

Algunos padres buscan ganarse la confianza de sus hijos no sólo a cambio de ceder en todo, sino también de no enfrentarse nunca. Sin embargo, éste no es el camino.

Dialogar, dialogar siempre. No vencer por la fuerza, sino convencer por la razón.

Lo anterior es verdad a pesar de las invitaciones constantes que se reciben del ambiente para irresponsabilizarse, ser arbitrario, comportarse caprichosamente y querer vivir una libertad no limitada ni condicionada y, por tanto, no humana.

Las condiciones previas para tener autoridad no son ni la arbitrariedad ni la violencia.

La influencia de unos padres que tienen ideas claras, que son coherentes con esas ideas y que han alcanzado cierto grado de madurez en su vida, es superior al ambiente permisivo y puede contrarrestar cuanto de negativo incida en la vida de los hijos.

Los padres deben estar seguros de que lo que los hijos reciben en el hogar, apoyado en la razón y en el cariño, tiene mucha más fuerza que todas las influencias negativas externas juntas.

No basta con ejercer la autoridad:

También es necesario enseñar a obedecer a los hijos.

La educación, en la obediencia, forma parte de la educación en la libertad y es el principal punto de apoyo para el ejercicio de la autoridad educativa. Los padres no desconocen las dificultades que ofrece, a este respecto, la sociedad permisiva y de bienestar en que vivimos. Por ello tiene todavía mayor interés la consideración de los motivos para obedecer en las distintas edades.

Obedece libremente quien hace suyo lo que se le manda.

Es decir, quien lo asume con la responsabilidad de una tarea libremente aceptada.

Aprender a obedecer como ser libre es un proceso largo y difícil, estimulado por la *flexible firmeza* de los padres. Este aprendizaje debe plantearse en el amplio campo de la participación.

La autoridad de los padres consiste, entre otras cosas, en dirigir la participación de los hijos en la vida familiar.

La participación puede entenderse como una disposición y como una oportunidad para contribuir personalmente en una tarea común, sea en el orden de la información, en el de la decisión o en el de la acción, procurando hacerlo con sentido de responsabilidad.

Esta participación en el ámbito familiar podría sintetizarse en la construcción del hogar como tarea conjunta de padres e hijos, en un proceso de gradual responsabilización de seres libres que están unidos por el lazo familiar y por el ejercicio correcto de la autoridad de los padres, la cual es componente esencial del amor a los hijos.

LA AUTORIDAD PATERNA EN LOS ANTIGUOS MEXICANOS

Jerónimo de Mendieta, uno de los principales cronistas que relatan hechos y costumbres de nuestros antepasados, narra en su *Historia eclesiástica indiana* cómo era la educación en México.

El fragmento que aquí se reproduce corresponde al capítulo XX del libro II de dicha obra, dedicado a "Los ritos y costumbres de los indios de la Nueva España". La edición que se utiliza es la de la editorial Salvador Chávez Hayhoe, México, 1945.

PLÁTICA O EXHORTACIÓN QUE HACÍA UN PADRE A SU HIJO

Hijo mío, criado y nacido en el mundo por Dios, en cuyo nacimiento nosotros, tus padres y parientes, pusimos los ojos. Has nacido y vivido y salido como el pollito del cascarón, y creciendo como él, te ensayas al vuelo y ejercicio temporal. No sabemos el tiempo que Dios querrá que gocemos tan preciosa joya.

Vive, hijo, con tiento, y encomiéndate al Dios que te crió, que te ayude, pues es tu padre que te ama más que yo. Suspira a él de día y de noche y en él pon tu pensamiento. Sírvele con amor y hacerte a mercedes, y librarte ha de peligros. A la imagen de Dios y a sus cosas ten mucha reverencia, y ora delante de él devotamente, y aparéjate en sus fiestas. Reverencia y saluda a los mayores, no olvidando a los menores. No seas como mudo ni dejes de consolar a los pobres y afligidos con dulces y buenas palabras. A todos honra, y más a tus padres, a los cuales debes obediencia, servicio y reverencia. El hijo que eso no hace no será bien logrado. Ama y honra a todos y vivirás en paz y alegría. No sigas a los locos desatinados que ni acatan a padre ni reverencian a madre, mas como animales dejan el camino derecho, y como tales, sin razón, ni oyen doctrina ni se dan nada por corrección. El tal que a los dioses ofende, mala muerte morirá desesperado o despeñado, o las bestias lo matarán y comerán. Mira hijo, que no hagas burla de los viejos o enfermos o faltos de miembros, ni del que está en pecado o erró en algo. No afrentes a los tales ni les quieras mal; antes te humilles delante de los dioses y teme no te suceda tal, porque no te quejes y digas: "Así me acaeció como mi padre me lo dijo", o: "Si no hubiera escarnecido, no cayera en el mismo mal." A nadie seas penoso ni des a alguno ponzoña o cosa no comestible, porque enojará a los dioses en su criatura y tuya será la confusión y daño, y en lo tal morirás. Y si honrares a todos, en lo mismo fenecerás.

Serás, hijo, bien criado, y no te entremetas donde no fueres llamado, porque no des pena y no seas tenido por mal mirado. No hieras a otro ni des mal ejemplo, ni hables demasiado ni cortes a otros la plática, porque no los turbes, y si no hablan derechamente, para corregir están los mayores; mira bien lo que tú hablas. Si no fuere de tu oficio o no tuvieres cargo de hablar, calla; y si lo tuvieres, habla, pero cuerdamente y no como bobo que presume, y será estimado lo que dijeres. ¡Oh hijo!, no cures de burlerías y mentiras, porque causan confusión. Guarda la vista por donde fueres; no vayas haciendo gestos ni trabes a otro de la mano. Mira bien por dónde vas y así no te encontrarás con otro ni te pondrás delante de él. Si te fuere mandado tener cargo, por ventura te quieren probar: por eso, excúsate lo mejor que pudieres y serás tenido por cuerdo, y no lo aceptes luego, aunque sientas tú exceder a otros; mas espera, porque no seas desechado y avergonzado. No salgas ni entres delante los mayores; antes sentados o en pie, donde quiera que estén, siempre les das la ventaja y les harás reverencia. No hables primero que ellos ni atravieses por delante, porque no seas de otros notado por malcriado. No comas ni bebas primero, antes sirve a los otros, porque así alcanzarás la gracia de los dioses y de los mayores.

Si te fuere dado algo, aunque sea de poco valor, no lo menosprecies, ni te enojes ni dejes la amistad que tienes, porque los dioses y los hombres te querrán bien. No tomes ni llegues a mujer ajena ni por otra vía seas vicioso, porque pecarás contra los dioses y a ti harás mucho daño. Aún eres muy tierno para casarte, como un pollito, y brotas como la espiga que va echando de sí. Sufre y espera, porque ya crece la mujer que te conviene: pónlo en la voluntad de Dios, porque no sabes cuándo te morirás. Si tú casar te quisieres, dános primero parte de ello y no te atrevas a hacerlo sin nosotros. Mira, hijo, no seas ladrón ni jugador, porque caerás en gran deshonra y afrentarnos has, debiéndonos dar honra. Trabaja de tus manos y come de lo que trabajares y vivirás con descanso. Con mucho trabajo, hijo, hemos de vivir: yo con sudores y trabajos te he criado, y así he buscado lo que habías de comer y por ti he servido a otros. Nunca te he desamparado, he hecho lo que debía, no he hurtado ni he sido perezoso ni hecho vileza por donde tú fueses afrentado.

No murmures ni digas mal de alguno; calla, hijo, lo que oyeres, y si siendo bueno lo hubieres de contar, no añadas ni pongas algo de tu cabeza. Si ante ti ha pasado alguna cosa pesada y te lo preguntaren, calla, porque no te abrirán para saberlo. No mientas ni te des a parlerías. Si tu dicho fuese falso, muy gran mal cometerás. No revuelvas a nadie ni siembres discordias entre los que tienen amistad y paz, y viven y comen juntos y se visitan. Si alguno te enviare con mensaje y el otro te riñere o murmurare o dijere mal del que te envía, no vuelvas con la respuesta enojado ni lo des a sentir. Preguntado por el que te envió: "¿Cómo te fue allá?", responde con sosiego y buenas palabras, callando el mal que oíste, porque no los revuelvas y se maten o riñan, de lo que después te pesará y dirás entre ti: "¡Oh, si no lo dijera y no sucediera este mal!" Y si así lo hicieres serás de muchos amado y vivirás seguro y consolado. No tengas que ver con mujer alguna, sino con la tuya propia. Vive limpiamente, porque no se vive esta vida dos veces, y con trabajo se pasa y todo se acaba y fenece. No ofendas a alguno ni le quites ni tomes su honra y galardón y merecimiento, porque de los dioses es dar a cada uno según a ellos les place. Toma, hijo, lo que te dieren, y da las gracias; y si mucho te dieren, no te ensalces ni ensoberbezcas, antes te abajas y será mayor tu merecimiento. Y si con ello así te humillares, no tendrá qué decir alguno, pues tuyo es. Empero, si usurpases lo ajeno, serías afrentado y harías pecado contra los dioses. Cuando alguno te hablare, hijo, no menees los pies ni las manos, porque es señal de poco seso; ni estés mordiendo la manta o vestido que tuvieres, ni estés escupiendo ni mirando a una parte y a otra, ni levantádote a menudo si asentado estuvieres, porque te mostrarás ser malcriado y como un borracho que no tiene tiento. Si no quisieres, hijo, tomar el consejo que tu padre te da, ni oír tu vida y tu muerte, tu bien y tu mal, tu caída y tu levantamiento, tu ventura será mala y habrás mala suerte y al cabo conocerás que tú tienes la culpa. Mira no presumas mucho aunque tengas muchos bienes, ni menosprecies a los que no tuvieren tanto, porque no enojes a Dios que te los dio y a ti no te dañes.

Cuando comieres no mires como enojado ni desdeñes la comida, y darás de ella al que viniere. Si comieres con otros no los mires a la cara, sino abaja tu cabeza y deja a los otros. No comas arrebatadamente, que es condición de lobos y adives, y además de esto te hará mal lo que comieres. Si vivieres, hijo, con otro, ten cuidado de todo lo que te encomendare, y serás diligente y buen servicial, y aquél con quien estuvieres te querrá bien y no te faltará lo necesario. Siendo, hijo, el que debes, consigo y por tu ejemplo vituperarán y castigarán a los otros que fueren negligentes y malmirados y desobedientes a sus padres. Ya no más, hijo; con esto cumplo la obligación de padre. Con estos avisos te ciño y fortifico y te hago misericordia. Mira, hijo, que no los olvides ni de ti los deseches.

TRABAJO EN EQUIPO

Una vez que se haya leído el texto anterior, resuélvase el siguiente cuestionario:

1. ¿Podrías deducir, a partir de la lectura, cómo era el trato entre padres e hijos entre los mexicas?
2. ¿Cuáles son, en tu opinión, los tres mejores consejos que da el padre mexica a su hijo?
3. ¿Cuál te parece ser la diferencia fundamental entre la autoridad paterna de entonces y la de ahora?

La intencionalidad de los padres

Objetivo:

Demostrar, por medio de argumentos, la necesidad de que los padres tengan objetivos claros en su acción educativa.

Esquema de apoyo didáctico:

Esquema 1.

Desarrollo del tema (50 min):

La intencionalidad de los padres.

1. Introducción.
2. El contexto de la acción educativa.
3. Actuación positiva de los padres.
4. La palabra "educación".
5. *Más vale prevenir que lamentar.*
6. El ejemplo.
7. Ejercitar la prudencia.
8. Vías de mejora.
9. Compartir el tiempo con los hijos.

Descanso (20 min).

Trabajo en equipo (20 min):

Lectura y análisis del texto: *En memoria de mis padres.*

Sesión plenaria (10 min):

Responder en grupo a las siguientes preguntas:

1. ¿Qué cualidades humanas encontramos en los padres de J. Messner?
2. ¿Qué objetivos tuvieron sus padres?
3. ¿Qué es lo que realmente hace felices a los hijos?

Esquema de apoyo didáctico

Esquema 1:

INTENCIONALIDAD DE LOS PADRES EN LA EDUCACIÓN DE LOS HIJOS

Comportamiento humano:
$\begin{cases}\text{Refleja el modo de pensar, de sentir y de}\\ \text{ser.}\\ \text{Se orienta a un fin.}\end{cases}$

Situaciones de relación:
$\begin{cases}\text{Influencias de los padres e influencias}\\ \text{externas.}\end{cases}$

Intencionalidad de los padres

Educación

Educare:	*Educere*:
criar, alimentar, nutrir.	sacar, extraer.

Objetivos

Valores verdaderos, jerarquizados y concretos.

Mejor calidad	Más	Mayor rendimiento

Actuar educativamente

Conseguir algo más y mejor, relacionado con las realidades objetivas.

| Contacto con los hijos | → | Comunicación (diálogo). |

Actuación positiva:	Actuación preventiva:
• Criterios rectores. • Acción congruente, eficaz.	• Criterio. • El ejemplo apoyado por criterios conocidos es un estímulo para mejorar.

146

INTRODUCCIÓN

Hace cincuenta años, un padre de familia sabía lo que quería de sus hijos y en muchos casos lo conseguía. Sin embargo, hoy día no existe una afinidad tan estrecha entre lo que quieren los padres y lo que hacen los hijos. Y eso se debe a que las influencias externas son muy poderosas.

Nuestros hijos no sólo están influidos por nosotros, sino también por sus maestros, sus amigos, la televisión, la prensa, las revistas, el ambiente de la calle, la publicidad, las noticias nacionales e internacionales, los padres de sus amigos, etcétera.

No se trata, desde luego, de proteger a los hijos evitándoles todo contacto con las influencias que pueden llegar a perjudicarlos, pero tampoco se trata de abandonarlos a ellas.

Algunos padres confían en su buen ejemplo para que sus hijos se formen como ellos lo esperan. Otros, abusando de su autoridad, pretenden dominar a sus hijos y resolver el problema estableciendo un sinfín de reglas que el hijo experimenta como un encarcelamiento. En ambos casos, el joven tiende más a dejarse influir por lo externo, buscando con ello una sintonía con su estado psíquico. Si no encuentran esta sensación de seguridad en su hogar, los hijos la buscarán fuera de él. Si los padres no educan a sus hijos para que éstos encuentren en sí mismos su seguridad entonces todas las intenciones y acciones de los primeros no harán más que provocar el efecto contrario a sus deseos.

Parece, pues, que es necesario reflexionar sobre la intencionalidad de los padres.

EL CONTEXTO DE LA ACCIÓN EDUCATIVA

Nuestros hijos establecen todos los días múltiples relaciones, tanto humanas como con determinadas tareas. Pero, ¿hasta qué punto son educativas esas relaciones? La educación siempre supone un "más" y un "mejor".

Si pensamos en las relaciones que los hijos pueden tener con sus padres o con otras personas, veremos que las posibilidades de ser influidos por unos o por otros dependerán principalmente de tres elementos: la situación del hijo, la situación de la otra persona, y las condiciones materiales propias de la situación común.

¿Qué puede significar "más" y "mejor", en relación con las personas?

El comportamiento humano refleja un modo de pensar, de sentir y de ser, y siempre está dirigido hacia algún fin, aunque el interesado no se percate de ello.

Los padres, al actuar en una determinada situación, concretan sus deseos conscientes e inconscientes en alguna actividad que les permita comunicarse con sus hijos. Pero la finalidad de esta comunicación dependerá, a su vez, del concepto que tengan de la vida y del hombre, y de lo que debe ser el proceso educativo.

Actuar educativamente supone pues, la comunicación. Uno de los problemas que enfrentan los padres es el de saber aprovechar las situaciones de convivencia con sus hijos que les permitan a éstos alcanzar ese "más" del que hablábamos.

ACTUACIÓN POSITIVA DE LOS PADRES

En relación con sus hijos, los padres pueden actuar en función de algún criterio o al azar. si eligen este último, su comportamiento será imprevisible: estarán influidos por el ánimo del momento, por el capricho o por el sentimiento. En consecuencia, difícilmente producirán una mejora en sus hijos.

En cambio, los padres que actúan de acuerdo con algún criterio, que deciden lo que quieren hacer y lo hacen, actuarán con un estilo personal y, seguramente, si su criterio es el adecuado, lograrán la mejora que se han propuesto.

Los padres que quieren educar a sus hijos, además de saber lo que significa "educación", necesitan establecer prioridades.

Lo principal en un padre es su intención y su actuación congruente.

El peor error que puede cometer un padre es no saber si fracasó o no en la educación de sus hijos, porque no sabía lo que se proponía o no tenía intenciones definidas.

Algunos jóvenes piensan que la persona que sabe lo que quiere puede ejercer coacción sobre ellos. Por eso conviene aclararles que los términos del binomio ser-hacer son inseparables. Educamos a partir de lo que somos y de lo que hacemos. Los educadores deben ser "de una pieza": deben saber a dónde van y actuar en consecuencia. Y para ello es necesario que reflexionen previamente sobre la educación.

De un modo u otro, los padres siempre van a influir. Por ser la suya la mayor influencia, debe ser la mejor.

LA PALABRA "EDUCACIÓN"

La palabra *educación* procede del verbo latino *educare*, que significa criar, alimentar, y de *educere*, que equivale a sacar de dentro, extraer, educir.

Educar es guiar, pero también consiste en actualizar lo que se halla potencialmente en el niño.

La auténtica educación es la síntesis de lo que significan los dos verbos latinos *educare* y *educere*, referidos al educando como un sujeto que posee diversas posibilidades de recibir ayuda.

Una parte considerable de la conducta de los hijos puede atribuirse a los criterios que sus padres aplicaron en su educación.

MÁS VALE PREVENIR QUE LAMENTAR

¿Qué pueden hacer los padres para prevenir a sus hijos contra las influencias negativas? En primer lugar, deben reconocer que la influencia del ambiente afecta a sus hijos tanto como a ellos mismos.

En segundo lugar, hay que detectar a qué responden las influencias antieducativas. Con este fin, a continuación expondremos someramente las características de las tendencias actuales predominantes.

Probablemente, la influencia más nociva es la que falsea los criterios que deben regir la vida. Hoy domina la tendencia a sobrevalorar el dinero, la novedad, el poder, las posesiones o el intelecto. Esto se refleja en los criterios que se aplican en el momento de decidir: "Elijo esta carrera porque me da más dinero"; "Hay que tener poder a toda costa"; "Salgo con tal persona para lucirla"; "Lo nuevo es lo bueno, lo antiguo es lo malo", etcétera.

En lugar de reconocer que la verdad no es algo relativo a cada individuo, sino que es algo objetivo que es preciso reconocer como tal, se habla de "mi verdad" o de "tu verdad", lo cual es una falacia, pues la verdad no depende del parecer de las personas.

Es la realidad misma la que debo conocer para no vivir en el error.

Antonio Machado invitaba a buscar *la* verdad: "La verdad, no tu verdad. Y ven conmigo a buscarla. La tuya, guárdatela."

Un padre de familia responsable rechazaría cualquier deformación que pudiera dañar a sus hijos. Sin embargo, no es fácil percatarse de esas deformaciones en un ambiente en el que prevalece la confusión. La manipulación actúa sobre el incosciente o sobre el subconsciente. Todo cuanto vemos y oímos queda registrado en la memoria, aunque no nos percatemos de ello.

¿Hasta qué punto influye en nosotros lo que vemos y oímos? Al respecto, cualquier respuesta podría resultar imprecisa, ya que intervienen muchos elementos en ese proceso de registro.

Por lo que refiere a los jóvenes, se trata de ver si han aceptado o rechazado los criterios que les han enseñado en su hogar y de averiguar si son capaces de enfrentar la realidad y de aplicar esos criterios.

EL EJEMPLO

Para educar a los hijos, ¿basta el ejemplo de los padres? No, evidentemente. El ejemplo es imprescindible, pero además es necesario que los padres tengan la intención de lograr una mejora en los jóvenes y de contrarrestar la influencia de las malas compañías o de las ideas erradas.

El ejemplo tiene mucho peso porque los hijos tienden a imitar lo que sus padres hacen, pero hay que reforzarlo con ciertas exigencias.

Algunos niños captan el sentido de las acciones de sus padres, pero en otras ocasiones será necesario explicárselas con detenimiento y con otros ejemplos.

El ejemplo tiene valor porque actúa como estímulo para los hijos, en dos sentidos. En primer lugar, como estímulo para imitar a una persona a quien el niño admira y quiere y, en segundo lugar, como un estímulo a la reflexión. El ejemplo hará pensar a los hijos sobre el porqué de la acción, especialmente mediante la comparación del modo de actuar de sus padres con el de los padres de sus amigos.

Pero quizá el valor más notable del ejemplo radique en su calidad de estímulo para superarse.

Así visto, el estímulo supone que los padres tienen deficiencias, y ello a pesar de que a veces piensan que es mejor que sus hijos no conozcan sus fallas. Pero esto debe matizarse: si un padre tiene una conducta reprobable o un vicio, entonces su ejemplo será francamente negativo. Pero si tiene una deficiencia no muy grave y los hijos ven que se esfuerza por superarla, entonces pueden imitarlo en este aspecto, de modo que su ejemplo les sirve para desarrollar su fuerza de voluntad.

Con todo, el ejemplo no basta por dos motivos. En primer lugar, no se trata de que los hijos imiten ciegamente a sus padres sino que sepan hacer suyos los valores, lo cual supone luchar observando ciertos criterios.

En segundo lugar, el ejemplo debe acompañarse por orientaciones razonadas y explicaciones, pues de lo contrario el hijo puede pensar que el comportamiento y las ideas de sus padres nada tienen que ver con él y con su realidad.

Puede suceder que se dé cierta flexibilidad en los hijos, cualquiera que sea su edad, en el sentido de que tiendan a evaluar a los demás por lo que hacen y lo relacionen con lo que ellos han aprendido en su hogar. Así, adoptan su propia conducta como criterio para juzgar a los demás.

La buena voluntad no basta. También hace falta la prudencia
para orientar.

EJERCITAR LA PRUDENCIA

El propósito es educar con los valores que participan de la verdad. La ley natural debe traducirse en criterios de actuación que nos permitan obrar de acuerdo con nuestra naturaleza, no contra ella. El problema radica en conocer cuál es la finalidad de nuestros actos, pero a este conocimiento se oponen la ignorancia y los prejuicios.

Los criterios son estables y se juzga con rectitud cuando se sabe que la finalidad de la acción es correcta. Esto, a su vez, infunde paz en el corazón. Un recién casado puede trabajar mucho para sacar adelante su hogar, pero una vez que ha alcanzado cierta estabilidad puede pensar en dedicar más tiempo a la familia si sus circunstancias así se lo permiten.

La revisión de la relación entre la conducta y los criterios de actuación es fundamental. Pero los criterios han de ser rectos y verdaderos, pues de lo contrario, ese examen será inútil.

Las personas prudentes tienen muy desarrollada su capacidad de observación: saben escuchar y reflexionar. De esta manera, cuando tienen que enjuiciar, están en condiciones de hacerlo mejor que las personas ligeras.

Las vías de mejora presuponen el ejercicio de la prudencia.

VÍAS DE MEJORA

Los padres pueden mejorar la vida familiar persiguiendo objetivos de mayor calidad y en abundancia.

Es lógico que el padre o la madre se preocupen demasiado por los objetivos que se relacionan con la convivencia familiar, con los estudios y con la sociabilidad. Pero hay que procurar concretar estos objetivos para que exista una relación más estrecha entre la actividad circunstancial y lo que se pretende conseguir en las esferas mencionadas.

Se puede mejorar persiguiendo los mismos objetivos con mayor eficacia.

La eficacia es importante porque consta de tres elementos: rendimiento, satisfacción y desarrollo personal.

El mejor rendimiento consiste en obtener los mismos resultados con menor esfuerzo y en menos tiempo.

En otras palabras, se está hablando de un trabajo bien hecho.

Si no se obtienen buenos resultados, puede disminuir la perseverancia del padre o de la madre. Precisamente por eso, la persona que se esfuerza requiere experimentar cierta satisfacción.

Quien educa debe estar convencido de que lo que hace vale la pena.

Trabajar bien, por ejemplo conlleva una satisfacción personal. Ésta, a su vez, permite el desarrollo personal que conduce a futuras mejoras (tercer aspecto de la eficacia). Para tener siempre presente estas posibles vías de mejora, conviene plantear el tema de las virtudes en la familia. Cada una de ellas puede proponerse como un objetivo a alcanzar.

En cuanto que son manifestaciones del amor, las virtudes son intrínsecamente de mucho valor.

COMPARTIR EL TIEMPO CON LOS HIJOS

Es necesario que el padre y/o la madre se den tiempo para estar con sus hijos y conversar con ellos. Los hijos son el centro de su vida; son más importantes que los negocios, el trabajo y el descanso. Dichas conversaciones conviene escucharlas con atención, esforzarse por comprenderlos y saber reconocer la parte de razón que pueda haber en algunas de sus rebeldías. Al mismo tiempo, hay que ayudarles a encauzar rectamente sus afanes e ilusiones, enseñarles a considerar las cosas y a razonar: Recuérdese que no se trata de imponerles una conducta, sino de mostrarles los motivos que la hacen recomendable. En una palabra, se trata de respetar su libertad, ya que no hay verdadera educación sin responsabilidad personal, y tampoco hay responsabilidad sin libertad.

Los padres educan fundamentalmente con el ejemplo de su conducta.

Lo que los hijos y las hijas buscan en su padre o en su madre no son sólo conocimientos más amplios que los suyos o consejos más o menos acertados, sino algo de mayor envergadura, a saber: un testimonio del valor y del sentido de la vida encarnados en una existencia concreta y confirmados en toda circunstancia.

El tiempo mejor invertido es el que se emplea en convivir con los hijos.

TRABAJO EN EQUIPO

Lectura, análisis y discusión del caso:

EN MEMORIA DE MIS PADRES

Mis padres no eran conocidos fuera de un reducido círculo de vecinos y amigos. Mi padre era minero y trabajaba en las minas de plata del estado; mi madre, obrera, y trabajaba en una fábrica de curtidos. Vivimos en un principio en las cercanías del lugar donde trabajaba mi padre, en las afueras de una villa rural próxima a Innsbruck. Cuando nosotros, los tres chicos, empezamos a ir a la escuela, mis padres compraron una vieja casa más próxima al centro de la ciudad, con un pequeño terreno. No había entonces un movimiento pro vivienda y pequeña propiedad, no se hablaba del derecho de la familia al hogar propio; el sentido natural había señalado a mis padres el camino a seguir a este respecto. El precio de compra, unido a los gastos de instalación, representaba para ellos una enorme suma. No existían cooperativas de construcción y colonización de las cuales pudiera haberse obtenido un préstamo. Por consiguiente, hubo que buscar dicho préstamo y ahorrar parte de los ingresos del trabajo, aparte de una pequeña ayuda representada por una herencia.

El alquiler que pagaba el inquilino del primer piso apenas alcanzaba a cubrir los intereses y los impuestos. Para ahorrar, mi padre, teniendo que trabajar durante una larga jornada en una mina situada a seis horas de camino, no utilizaba el tren, sino que cubría el camino a pie. Sólo pasaba en casa el fin de semana, teniendo que ponerse de nuevo en camino el lunes a las dos de la madrugada para poder llegar a tiempo a su trabajo. Cuando más tarde pudo trabajar en una mina más próxima, el huerto constituyó una fuente de ganancias complementarias, dado que no sólo abastecía de patatas, verduras y frutas la propia mesa, sino que, además, era posible vender gran parte de ello. Mi padre tenía que trabajar desde las seis de la mañana hasta las dos de la tarde; ello le permitía pasar gran parte del tiempo en el huerto durante el verano. En invierno había siempre algo que hacer en casa. Él hacía los trabajos manuales.

También mi madre tenía entonces sus ganancias complementarias, uno o dos huéspedes, que también comían con nosotros. Ello hacía que su jornada fuera durante largos años de diez horas, estando dividida en dos partes por un descanso de dos horas a mediodía, que apenas le alcanzaba para guisar y lavar.

Que mi madre tuviera que hacer ella sola el trabajo de la casa daba lugar a que pasáramos en el hogar largas veladas inolvidables por la feliz intimidad de la reunión familiar en la cocina de la casa, cada uno entregado a su ocupación, o bien nosotros, los chicos, dedicados a nuestros juegos, en los cuales tomaba parte con frecuencia mi padre. Pasar una velada fuera de casa era para cualquiera de nosotros un sacrificio que sólo se hacía raras veces y en casos sumamente apremiantes. En el gimnasio y en la universidad se nos reprochaba el que no participáramos en las actividades de vacaciones; pero mis padres nos habían comprado, a costa de grandes sacrificios, un piano con el cual pasábamos las vacaciones interrumpidas por excursiones a las montañas. En sus días de vacaciones, mis padres nos acompañaban.

Ambos tenían que empezar su trabajo a las seis de la mañana.

Cuando yo, hace algunos años, hablé de esta vida familiar sin mencionar a mis padres, en una jornada de la familia, se alzaron voces que decían que una vida así de heroica no era posible.

Sólo pude contestar que el padre y la madre de aquella familia se habrían sentido incómodos ante esas palabras, pues apreciaban una vida dura, sin duda, pero indescriptiblemente feliz.

Mi padre había querido estudiar en su juventud, pero sus padres no tuvieron los medios necesarios para ello.

Tan difícil se le hacía tal renuncia, que todavía en sus primeros años de matrimonio alentó con frecuencia en él la idea de asistir a una escuela técnica superior. En su lecho de muerte dijo aún: "Madre, deja que los chicos estudien todo el tiempo que quieran; yo sé lo duro que es tener que renunciar a ello." Pero esta renuncia nunca dejó caer sombra alguna sobre nuestra vida familiar; quizá por eso mismo fue aún más rica en aquellos valores que escapan al peso y a la medida.

Tanto más feliz fue con poder dar a sus hijos lo que a él le había sido negado. Cuando murió, apenas habíamos terminado los estudios del gimnasio. Lo que es capaz de hacer una madre no pudimos saberlo hasta que vimos cómo nuestra madre logró sostener ella sola el hogar y darnos estudios superiores. Cuando después de treinta y dos años de vida laboral hubo de retirarse de la misma, y mi hermano y yo, después de algunos años de actividad profesional, reanudamos nuestros estudios en Munich como estudiantes obreros, supo ayudarnos de maneras diversas, como sólo una madre puede hacerlo, siempre a partir de las fuentes inagotables del hogar familiar, en modo alguno rico. Pudimos así dedicar otros seis años al estudio, mi hermano al de la música y yo al de las ciencias sociales.

A ocuparme de las ciencias sociales me impulsó la idea de que no era fácil encontrar los argumentos que hicieran posibles a la gran mayoría de las familias aquella vida feliz que habíamos compartido. Y la otra razón que me llevó a ese estudio fue saber que el diagnóstico y la terapéutica del cuerpo social es mucho más difícil que la del cuerpo humano. Inicié así una labor de toda una vida sobre el terreno de las ciencias sociales.

[. . .]Tal labor necesita de una constante contemplación de los valores más altos de la vida humana terrena: los de la familia. De la familia partió mi afán científico y a la misma volvería una y otra vez. Por ello este libro fue escrito en su primera edición, y lo es también ahora, en memoria de mis padres. Y aun cuando a veces, en el esfuerzo de lograr un justo diagnóstico y terapéutica social, sea el entendimiento el que tome la palabra, la obra está escrita con el corazón.

JOHANNES MESSNER[1]

---

[1] Johannes Messner, *La cuestión social*, Rialp, Madrid, 1976, pp. 13-16.

Sexta parte

La educación de las virtudes

Educación de las virtudes humanas[1]

Objetivos:

1. Analizar los conceptos de valor y de virtud.
2. Comprender que los hábitos de comportamiento adquiridos expresan la educación en los valores de cada persona.

Esquemas de apoyo didáctico:

Esquemas 1 y 2.

Desarrollo del tema (50 min):

Educación de las virtudes humanas.

1. Introducción.
2. Concepto de virtud.
3. ¿Cómo se logra adquirir un hábito?
4. El proceso de exigir.
5. Los efectos de las virtudes.
6. Peligro de caer en la rutina.
7. Punto óptimo de los hábitos de comportamiento.

Descanso (20 min).

Trabajo en equipo (20 min):

Escoger diez hábitos de comportamiento valioso y analizar, por equipos, cómo se puede desvirtuar cada uno, sea por exceso o sea por defecto.

Sesión plenaria (10 min):

Discusión grupal con base en las aportaciones de cada equipo, con el fin de que cada participante obtenga sus conclusiones personales.

[1] *Cfr.* D. Isaacs, *La educación de las virtudes humanas*, EUNSA, Pamplona, 1983, tomo I, pp. 17-53.

Esquema de apoyo didáctico

Esquema 1:

LAS VIRTUDES

Son hábitos buenos de comportamiento que perfeccionan las facultades del hombre para obtener la verdad y el bien.

LA INTENCIONALIDAD

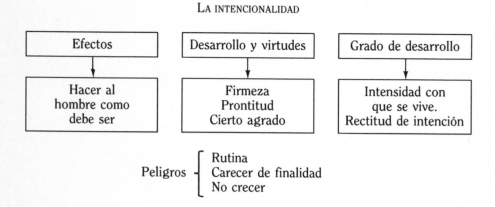

Efectos	Desarrollo y virtudes	Grado de desarrollo
Hacer al hombre como debe ser	Firmeza Prontitud Cierto agrado	Intensidad con que se vive. Rectitud de intención

Peligros
- Rutina
- Carecer de finalidad
- No crecer

INTRODUCCIÓN

¿Cuál es el fin de la educación y en qué consiste nuestro papel como educadores?

Educar bien no significa conocer y utilizar muchas técnicas sino invertir mayor intencionalidad en la actividad normal de las relaciones humanas dentro de la familia. La intencionalidad tiene su fundamento en las facultades específicamente humanas, o sea en el entendimiento y en la voluntad.

La familia es, por tanto, la primera escuela de las virtudes humanas sociales que todas las sociedades necesitan.

Los padres quieren lo mejor para sus hijos, pero no basta con querer. La voluntad siempre va tras lo que le presenta el entendimiento, ya que por si misma es ciega. Además, siempre quiere lo que es bueno, es una tendencia hacia lo bueno. Pero en tanto el hombre no reconozca el bien por medio de su entendimiento o razón, la voluntad no puede apetecerlo. La principal dificultad consiste en que el hombre puede buscar algo que le sea dañino porque se le presenta bajo la forma engañosa de algo bueno para él. Por eso hay que desarrollar el entendimiento y la voluntad simultáneamente. De esto depende incluso la felicidad, porque al reforzar estas facultades correctamente, la persona se encuentra en mejores condiciones para obrar el bien y ser feliz.

La noble tarea que tenemos en nuestras manos nos compromete a proporcionar ayuda permanente para el desarrollo de nuestros hijos como personas. *Crecer como personas, ser mejores personas*: he aquí el fin auténtico de todo proceso educativo.

Desarrollarse como personas es ir adquiriendo madurez que, como bien lo expresa el profesor David Isaacs:

"La madurez es el desarrollo armónico de las virtudes humanas."

De tal manera que una persona que va creciendo en sinceridad, optimismo, laboriosidad, honradez o alegría, es una persona que está en auténtico proceso de maduración personal.

Es precisamente en la familia donde existen las condiciones más adecuadas para que se dé este proceso de maduración que hace referencia a la intimidad, es decir, la aceptación incondicional dentro del ámbito natural que es el amor.

El hombre se propone ser feliz a lo largo de toda su vida.

La inteligencia y la voluntad, facultades humanas de las que el hombre dispone para este fin son, respectivamente, tendencias a la verdad y al bien, y han de ser encauzadas a actos particulares de conocimiento y de bondad por medio de los hábitos o virtudes.

Las virtudes son especificaciones del bien.

CONCEPTO DE VIRTUD

El estudio sistemático de los hábitos y de las virtudes tuvo sus inicios en la cultura helénica, en la época de Aristóteles, quien se planteó en forma científica el fundamento de las mismas como base de las perfecciones del hombre. Este es el origen del estudio de las cuatro virtudes rectoras, de las cuales el filósofo griego hizo derivar todas las demás: prudencia, justicia, fortaleza y templanza.

La virtud es un hábito operativo bueno.

Es decir, es un aprendizaje que orienta nuestras acciones hacia el bien, de manera habitual, en contraste con el vicio, que es un hábito operativo malo.

Las virtudes son hábitos buenos que perfeccionan las facultades del hombre para obtener la verdad y la bondad.

De esta manera, hablamos de un *virtuoso* del violín como de alguien que ha logrado enorme destreza y perfección en la ejecución de ese instrumento.

Las virtudes son hábitos porque responden a un modo de ser permanente; no se refieren a actos aislados o esporádicos, sino a una disposición habitual que forma parte del ser de la persona, algo así como una segunda naturaleza adquirida.

Las virtudes perfeccionan las facultades del hombre: inteligencia y voluntad.

Las virtudes humanas son aquellas que el hombre adquiere con su propio esfuerzo.

No obstante, en ocasiones vienen dadas por la naturaleza misma: hay quien es naturalmente ordenado, optimista o generoso, y hay quien tiene que adquirir estas mismas virtudes mediante la constante repetición de los actos pertinentes.

Las virtudes humanas son valores hechos vida.

Las virtudes humanas pueden ser:

1. De orden intelectual, que son las que perfeccionan a la razón para conocer la verdad. Tenemos así:

   a) La sabiduría.
   b) La ciencia.
   c) El arte.
   d) La prudencia.

2. De orden ético, que perfeccionan a la voluntad para que ésta elija fácilmente el bien y ordene la sensibilidad o las pasiones. Entre ellas figuran:

   a) La fortaleza.
   b) La templanza.

La virtud es un hábito que se refiere a la interioridad del hombre y que es fruto de actos voluntarios, de los que nacen las obras exteriores.

Las virtudes acrecientan la libertad (el dominio de sí mismo) porque mediante la inteligencia y la voluntad ordenan los impulsos humanos.

El vicio es una autodestrucción. Los vicios disminuyen la libertad porque son consecuencia del oscurecimiento de la inteligencia y de la inclinación desordenada a los bienes aparentes.[2]

El procedimiento para adquirir un vicio se asemeja al de la adquisición

[2] *Cfr*. R. García de Haro, *L'agire moral & le virtú*, Ares, Milán, 1988, p. 107.

de una virtud. El error consiste en que se elige un bien aparente, un bien no debido, un bien que no va a traducirse en mi beneficio sino en mi daño, en mi destrucción o en mi perjuicio.

Por ejemplo, cuando una persona bebe con moderación, está eligiendo un bien; sin embargo, beber sin ningún control significa elegir un bien aparente que lo está conduciendo al alcoholismo, a adquirir un vicio difícil de renunciar, ya que se convierte en una necesidad casi inconsciente del organismo. Y esto va conduciendo gradualmente a la persona a su autodestrucción y a la pérdida del control de sí misma.

¿CÓMO SE LOGRA ADQUIRIR UN HÁBITO?

Mediante la repetición de un acto determinado, lo cual requiere ser exigente.

¿Hasta qué punto debemos exigir, y cómo, para conseguir el desarrollo de los hábitos buenos en los niños?

Para contestar la primera parte de la pregunta, diremos que hay que exigir rectificando en todo momento la pertinencia de los motivos por los que mandamos hacer algo. Esto significa que debemos mandar cosas razonables y justas y que signifiquen un bien para el hijo, es decir, que los hijos se beneficien al obedecer.

El grado de exigencia deberá ser diferente para cada hijo e ir de acuerdo con sus tendencias naturales y con su capacidad de cumplir. Si el niño cumple por iniciativa propia, no hará falta exigir más en ese aspecto, aunque siempre se puede motivar para lograr mayor perfeccionamiento.

Educar no es sólo capacitar para elegir lo bueno y desechar lo malo, sino para enseñar a optar por lo mejor de lo bueno.

También se trata de buscar un equilibrio adecuado entre todas las cosas en las que se pretende exigir. En la práctica habrá que seleccionar algunas cuestiones prioritarias de acuerdo con un criterio acertado, de modo que se sea exigente en lo más importante y flexible en todo lo demás.

EL PROCESO DE EXIGIR

El proceso de exigir tiene dos partes:

1. Informar adecuadamente.
2. Asegurarse de que cumpla lo exigido.

Para que la exigencia sea eficaz es necesario conseguir el acuerdo del niño, es decir, que el desacuerdo se traduzca en conformidad. Esto puede obedecer, a su vez, a diversos motivos.

Para el niño pequeño puede haber motivos más bien afectivos: darle gusto a su mamá, ayudar a su papá, etc. Los motivos serán más intelectuales a medida que vaya madurando su razón.

Por ejemplo, puede conseguirse que un niño ordene sus cosas porque su mamá se lo pide con cariño o porque se le promete un premio si cumple. Pero también puede conseguirse que obedezca haciéndole razonar por qué debe hacerlo así, haciéndole ver que ello sería un modo de cooperar, o explicándole cómo sus padres y sus maestros realizan tareas parecidas.

Nos interesa que el niño utilice su entendimiento, es decir, que razone una vez que se le ha proporcionado la información adecuada.

Exigir no es gritar ni regañar; es animar a actuar bien.

Una cuestión no menos importante es motivar afectivamente a los niños basándose fundamentalmente en la confianza y en el cariño de sus educadores y haciéndoles ver que las indicaciones de éstos son justas y correctas.

Lo anterior dependerá de tres cosas:

1. *Modo de exigir.* Está relacionado con el estilo de los educadores y con las características de cada niño.

a) Exigir en pocas cosas.
b) Exigir en el momento oportuno para facilitar el esfuerzo.
c) Exigir dando los medios para que cumpla lo ordenado.
d) Procurar un seguimiento en la exigencia: *mandar y ver que se haga lo mandado.*

Uno de los recursos más importantes con que cuenta la educación es el ejemplo. Incluso se llega a decir que se educa más por lo que se es que por lo que se hace. Quizá lo más preciso sería decir que se educa a partir de la relación intrínseca del ser con el hacer. Esto supone autoexigencia.

2. *Ambiente de exigencia.* Aquí hay que considerar dos aspectos:

a) La actitud de confianza por parte de los educadores.
b) El ejemplo de la autoexigencia.

Los niños perciben la confianza depositada en ellos en el comportamiento de los educadores y concluyen que no pueden defraudarlos.

Los padres no deben esperar a *ser perfectos* para exigir a sus hijos la práctica de la virtud. Lo importante es que los hijos los vean luchar y esforzarse, fallar y rectificar.

Para adquirir un hábito hace falta repetir un acto muchas veces. Esta repetición sólo se logra si existe de por medio algún tipo de exigencia. Aparte de la exigencia en el *hacer*, también existe la posibilidad de exigir en el *pensar*. Esta actividad es la que respalda a toda buena orientación.

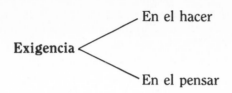

Exigencia
- En el hacer
- En el pensar

Un orientador hace pensar obligando a profundizar en los motivos, dando explicaciones, preguntando por qué y encauzando a la persona para que encuentre las posibles soluciones a los problemas. Es interesante hacer ver que, con frecuencia, la solución no es una sola, sino toda una gama de soluciones posibles.

El ambiente de exigencia en la familia no supone rigidez, pero sí una intencionalidad optimista, llena de buen humor y de alegría.

3. *Los motivos para exigir*. Los educadores deberán estar conscientes de los motivos de su exigencia y rectificarlos frecuentemente para que no degeneren en motivos egoístas de comodidad o de perfeccionismo, sin perder de vista los actos y su finalidad.

Los hijos, a un nivel más básico, deberán obedecer a sus padres por amor y porque los segundos tienen el derecho de ser *obedecidos*, a la vez que los hijos tienen el derecho de ser objeto de exigencias y porque necesitan de la exigencia amorosa de sus padres para poder mejorar.

LOS EFECTOS DE LAS VIRTUDES[3]

En términos generales, las virtudes tienen por objeto hacer al hombre como debe ser, es decir, que logre ser feliz mediante la asimilación de los valores más excelentes.

El desarrollo de hábitos valiosos de comportamiento realimenta el entendimiento y la voluntad, dando firmeza, prontitud y un cierto agrado y satisfacción en la consecución del bien y de la verdad.

La *firmeza* significa que el hábito reafirma a la persona en lo que está haciendo, en sus *actos de bondad*, dándole así seguridad en sí misma.

La *prontitud* quiere decir que el hábito crea una capacidad para obrar bien porque forma parte del modo de ser de la persona, de su modo de pensar y de obrar.

Y, por último, la virtud le permite a la persona *conocer, en parte, la felicidad*; le permite experimentar el gusto y la satisfacción personales por la consecución de los actos buenos.

Veamos el ejemplo de un gimnasta olímpico: los ejercicios que éste realiza, y que requieren muchos años de esfuerzo y de tenacidad, adquieren cada vez mayor soltura, firmeza y prontitud en su ejecución: son hábitos que ya han pasado a formar parte de su naturaleza.

[3] Basado en D. Isaacs, *op. cit.*, tomo I, pp. 68-70.

Se dice que un hombre es virtuoso cuando posee la energía interior que lo hace capaz de actuar de modo inteligente y justo; con plenitud de vigor, de valentía y de audacia; sin retardos inútiles; con amplitud de miras y con simplicidad y sin ostentación, como algo que le es natural.[4]

PELIGRO DE CAER EN LA RUTINA

Conviene comentar un peligro que acecha estos hábitos: el que en lugar de llegar a ser virtudes lleguen a ser actos rutinarios.

Puede suceder así porque los actos se realicen por sí mismos, sin tener una finalidad: el orden por el orden se convierte en manía y el trabajo por el trabajo deviene activismo. Estos actos no se traducen en una mejora personal ni en un beneficio para los demás.

Para que se reduzca la posibilidad de ser rutinarios habrá que referirse frecuentemente al fin que se persigue y rectificar la intención de los motivos.

Los educadores necesitan actuar con un alto grado de intencionalidad, y esto supone atender, en primer lugar, al desarrollo de las virtudes y luego a la preparación de los educandos para este proceso.

El objetivo está muy claro: desarrollar en los hijos virtudes o hábitos operativos buenos. El grado de desarrollo de la virtud dependerá de dos factores:

1. La intensidad con que se viva.
2. La rectitud de sus motivos.

PUNTO ÓPTIMO DE LOS HÁBITOS DE COMPORTAMIENTO

Se puede faltar a la virtud por *exceso* o por *defecto*. Por ejemplo, el exceso de orden produce al maniático; su defecto da lugar al desordenado.

Otro ejemplo: cuando se trabaja en exceso, se incide en el activismo; el defecto en la laboriosidad se traduce en pereza.

Esquema 2:

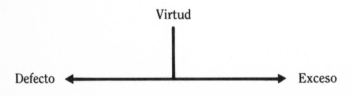

[4] *Cfr*. R. García de Haro, *op. cit.*, p. 125.

La virtud se encuentra en el justo medio; crece por la intensidad con que se viva y por la rectitud de los motivos que mueven a la voluntad.

Existen dos virtudes normativas o rectoras que deben acompañar a cualquier otra virtud para que realmente lo sean el amor y la prudencia.

Todas las virtudes son manifestaciones·de amor verdadero.

De todas las virtudes, la única que no tiene límite ni medida es el amor: nunca podemos decir que amamos demasiado, porque la medida del amor es amar sin medida.

Por último, diremos que las virtudes son como vasos comunicantes entre los cuales existe una íntima correlación. No podemos crecer en una virtud sin mejorar necesariamente en todas las demás. De tal manera que si yo realizo un esfuerzo por crecer en laboriosidad, automáticamente seré una persona más responsable, perseverante y ordenada.

Todos estamos dotados de cierta facilidad y de una especial inclinación hacia determinados hábitos de comportamiento. Hay niños especialmente alegres y optimistas; otros son más responsables o más sinceros. Debemos tomar muy en cuenta estos dones naturales y fomentar su crecimiento, el cual es la base de muchas otras perfecciones en el modo concreto y específico en que nuestros hijos se van desarrollando como personas.

Educación del orden[1]

Objetivo:

Deducir conclusiones prácticas en torno al valor educativo del orden.

Esquema de apoyo didáctico:

Esquema 1.

Desarrollo del tema (50 min):

Educación del orden.

1. Concepto.
2. El ejemplo.
3. La distribución del tiempo.
4. La organización de las cosas.
5. La realización de las actividades.
6. Conclusión.

Descanso (20 min).

Trabajo en equipo (20 min):

Leer, analizar y proponer posibles soluciones para el caso: *La familia Méndez*.

Sesión plenaria (10 min):

Discusión del caso en el grupo.

---

[1] Basado en D. Isaacs, *La educación de las virtudes humanas*, EUNSA, Pamplona, 1983, tomo I, pp. 157-170.

Esquema de apoyo didáctico

Esquema 1:

Orden en:

- Las cosas y la casa.
- Higiene y arreglo personal.
- La distribución del tiempo.
  - Diseño de un horario.
  - Planes por escrito (lugar, fecha, asunto).
- El trabajo y el descanso.
- La mente.

Orden desvirtuado.

- Tomado como fin, no como medio.
- Manía.

A los niños hay que explicarles el porqué de ser ordenados. Luego, ellos sabrán explicar el porqué de su "sistema".

El desordenado desordena a los demás.

La persona desordenada.

- No encuentra sus cosas.
- Pierde las llaves.
- Daña los utensilios.
- Desperdicia el tiempo.
- Es impuntual.
- No termina lo que ha empezado.
- Usa los utensilios para lo que no fueron destinados.
- No se fija cómo deja su lugar de trabajo, de juego o de descanso.

CONCEPTO

David Isaacs define como sigue a una persona ordenada:

> Se comporta de acuerdo con unas normas lógicas, necesarias para el logro de algún objetivo deseado y previsto en la organización de las cosas, en la distribución del tiempo y en la realización de las actividades, por iniciativa propia, sin que sea necesario recordárselo.

Ocurre que algunas personas hacen del orden el fin de su vida, por lo que convendría aclarar que este hábito debería ser gobernado por la prudencia.

Si se entiende que el orden en la familia o en la escuela es necesario para lograr una convivencia adecuada, ello no es lo mismo que considerarlo una necesidad derivada de una manía de los educadores.

El desarrollo del orden nunca debe alcanzar el límite en el que no cabe la vida espontánea del amor.

No se trata de estructurar la vida en todos sus aspectos, sino de establecer un mínimo de orden para poder perseguir otros objetivos más valiosos; esto es lo que se llama ser prudente.

Para poder actuar de un modo ordenado, hace falta también una estructura mental ordenada.

Para poder ser ordenados hay que especificar dónde, cuándo y cómo se dispondrán las cosas.

El orden requiere tener un lugar para cada cosa y poner cada cosa en su lugar.

Podemos observar cómo nuestros hijos se organizan en los siguientes renglones:

1. Cosas.
2. Actividades.
3. Trabajo.
4. Tiempo libre.
5. Relaciones con los demás.
6. Modo de presentarse, de hablar, de escribir, etcétera.

Al observarlos podremos saber cómo se ha desarrollado su educación del orden, pero no debemos olvidar observar nuestra propia actuación al respecto, porque nuestro ejemplo puede ser tanto positivo como negativo.

EL EJEMPLO

Algunos educadores piensan que no es posible educar esta virtud porque ellos mismos no son ordenados. Pero la realidad es otra. Los padres, por ejemplo, educan a sus hijos principalmente en aquellos aspectos que intentan mejorar en sí mismos y que requieren su esfuerzo.

Se trata de estimular a los hijos en su lucha por su superación.

El ejemplo del orden es positivo cuando se entiende el porqué de los esfuerzos de los educadores, su sentido, su razón de ser.

El orden por el orden no es justificable. El orden exagerado se convierte en una manía y esclaviza. El orden debe estar al servicio de las personas, y no al revés; pero también es verdad que el desorden hace perder eficiencia y genera tensiones.

El orden está relacionado con la limpieza, de tal suerte que si los educadores no se preocupan por limpiar la casa o la escuela y por que los niños participen, de acuerdo con su edad, en esos cuidados, es poco probable que los últimos aprendan a ser ordenados. Por eso la limpieza personal es tan importante, no sólo por razones de higiene, sino como preparación para permitir a las personas interesarse en el orden y en practicarlo.

Se trata de fomentar un estilo personal dentro del respeto y la convivencia agradable.

LA DISTRIBUCIÓN DEL TIEMPO

Uno de los problemas que más afectan la correcta distribución del tiempo es que no siempre sabemos distinguir lo importante de lo urgente, de modo que solemos dejar a un lado lo importante por atender lo urgente.

Los padres saben, sin duda, que es de suma importancia hablar con sus hijos para conocerlos, para orientarlos, para mostrar su interés en lo que están haciendo, etc. Sin embargo, sin cesar surge un sinfín de pequeñas necesidades (urgencias) que impiden proporcionar esa atención.

Habrá que enseñar a los niños a ordenar sus actividades en el tiempo, de acuerdo con lo que es prioritario en cada momento.

En la vida de familia, debe informarse a los hijos sobre las actividades que hay que realizar en un momento determinado o en primer lugar. Por ejemplo, deben saber que tienen que dejarlo todo para ir a comer cuando su mamá los llama, que tienen que guardar sus juguetes en el momento de terminar de jugar, etcétera.

Para que los hijos respeten esos momentos se procurará exigirles que no falten al orden, siempre y cuando no se interrumpa otra actividad más importante. De ser posible, se exigirán las mismas actividades más o menos a la misma hora, aunque también hay que aceptar que muchas veces no se puede ser inflexible.

Siempre surgen imprevistos, y las actividades que requieren cierta continuidad en su realización no son compatibles con las contingencias.

Un caso concreto es el de los niños que, quizá con gran empeño, empiezan a ordenar todas sus pertenencias. Sin embargo, media hora más tarde comenzará su programa favorito de televisión, de modo que dejarán la tarea a medio hacer y, a menos que sus padres sean muy exigentes, no la terminarán.

Sería más conveniente ayudarlos a organizar su tiempo para que puedan terminar su trabajo antes del inicio del programa, o de manera que puedan hacerlo en etapas sucesivas. De este modo los hijos desarrollan su capacidad de relacionar el tiempo con sus actividades y son más sensibles a lo que exige cada actividad. En una palabra: serán ordenados.

Que los niños sepan recordar y retomar el objeto de atención, de tal modo que sea factible volver a empezar.

En el mismo sentido, leer un libro supone que el niño o el adolescente recuerda que lo está leyendo, dónde ha interrumpido su lectura y que mantenga ésta con cierta continuidad.

El orden de este género está muy relacionado con la perseverancia, porque hay algunas actividades que pueden tomar mucho tiempo. Por ejemplo, aprender a tocar la guitarra supone disponer del tiempo para practicar.

Las actividades de duración variable, que pueden verificarse en cualquier momento, ofrecen muchas dificultades. Por ejemplo, si no hay un momento establecido para limpiar los zapatos, ésta puede acabar siendo una actividad que se realiza únicamente cuando los padres se muestran enérgicos al respecto.

Solemos llenar el tiempo libre con lo más atractivo o con lo más urgente, ya que de no hacerlo así, es probable que nos olvidemos de esos menesteres.

La virtud del orden supone colocar las cosas menos agradables, pero más necesarias, en primer lugar.

Por último, las actividades periódicas, aun cuando no frecuentes, ofrecen la dificultad de que no siempre las podemos recordar a tiempo, como cuando se trata de felicitar con motivo de un cumpleaños, de acudir a una cita, de visitar a un amigo, etc. Pocas son las personas que tienen una memoria tan buena que no necesitan de alguna ayuda. La solución más fácil es utilizar una agenda, aunque a algunas personas se les dificulta apuntar sus compromisos y, lo que es peor, consultarla luego oportunamente. Como sucede con todos los hábitos, es mucho más fácil comenzar a ser ordenado desde joven.

LA ORGANIZACIÓN DE LAS COSAS

Otro aspecto del orden es la colocación de las cosas de acuerdo con la lógica, lo que en este caso significa: de acuerdo con la naturaleza y la función del objeto. Hay que saber organizar las cosas de manera que prevalezcan la higiene, la funcionalidad y la estética, sin incidir en el desperdicio (debemos ser cuidadosos con las hojas de los cuadernos, con los lápices de medio uso. Recuérdese que no sólo hay placer al estrenar, sino también en saber cuidar, conservar, guardar, etc.). Todo lo cual se relaciona, asimismo, con la sobriedad.

El orden austero persigue dos finalidades: guardar las cosas bien para que no se maltraten, y guardarlas razonablemente, para que se puedan encontrar en el momento oportuno. Además, el orden en las cosas le da un toque de belleza a nuestro entorno y nos permite aprovechar mejor el tiempo, ya que no lo perdemos buscando una u otra cosa.

Un lugar para cada cosa y cada cosa en su lugar.

Habrá que ser pacientes y muy perseverantes en la exigencia de esta virtud con los niños y los jóvenes. No hay más remedio que insistir.

La mejor solución consiste en edificar entre todos un ambiente propicio al orden. Si cada uno asume la responsabilidad de volver a colocar cada cosa a su sitio, aun cuando esa persona no la haya desacomodado, entonces podremos instaurar el orden en el hogar y en la escuela, así como el desarrollo de la responsabilidad de cada niño.

Al pedir la colaboración constante de todos puede llegarse a dar la situación de que todos se sientan responsables y se animen entre sí cuando alguien falte al orden.

Para que los niños aprendan a ordenar sus cosas se les puede invitar a participar en las actividades ordenadas de los padres. Por ejemplo, puede pedírseles que ayuden a limpiar y a ordenar los utensilios de cocina. En segundo lugar, se les puede pedir que razonen sobre el porqué de su propio "sistema" para ordenar las cosas, de modo que se percaten de cuán positivo resulta:

1. Encontrar el lugar más adecuado para que no se maltrate determinado objeto.
2. Poder encontrar lo que se necesita.

LA REALIZACIÓN DE LAS ACTIVIDADES

Para ser ordenado no basta con colocar las cosas en su lugar. También hay que saber utilizarlas adecuadamente. No podemos decir que un niño que rompe intencionadamente un juguete es ordenado, aunque luego guarde las piezas rotas en un cajón.

Se trata de evitar el mal uso de los objetos sin que ello le impida al niño desarrollar su imaginación al utilizarlos. Así, simular que una escoba es un rifle no implica una falta de orden; pero utilizar la escoba para brincar sobre ella y romperla sí es un síntoma de desorden.

Utilizar los objetos ordenadamente puede significar, en la práctica, enseñar a los niños cómo usar una máquina de escribir, cómo utilizar las tijeras, cómo arreglar un enchufe, etc. En cada caso existen ciertas reglas para utilizar cada objeto adecuadamente. Si los niños no lo emplean como es debido, el objeto podría dañarse o resultar peligroso.

Este tipo de enseñanza no se limita a los objetos ajenos a la persona, sino que también se aplica a su propio ser. Es decir, su meta es que los niños aprendan a utilizar debidamente su inteligencia, su afectividad y su cuerpo, de acuerdo con unas reglas y principios. Si no lo hacen así, puede suceder que acaben utilizando su inteligencia para destruir algo bueno; por ejemplo, servirse de un juguete para romper una ventana.

Si no tenemos el cuidado de enseñar a nuestros hijos cómo utilizar sus pertenencias y facultades, muy probablemente sus mismas cualidades y capacidades acabarán por dañarlos o por crearles situaciones perjudiciales.

Difícilmente puede haber orden interior en la persona si no existe cierto orden exterior.

CONCLUSIÓN

1. Cuando los niños son menores, los educadores tendrán que exigirles el cumplimiento de una serie de actividades relacionadas con el orden.
2. Al principio, los niños cumplirán por obediencia, aunque también podrán reconocer el sentido de sus actos si los educadores se preocupan por orientarlos de acuerdo con la finalidad que persiguen.
3. Los niños y jóvenes necesitan información sobre lo que se espera de ellos.
4. El tacto de los educadores radica en exigir en el momento adecuado, y también en exigir orden en algunos aspectos y en otros no.
5. Como hábito que es, el orden deberá estar pleno de sentido para que los adolescentes lleguen a vivirlo con su estilo personal.
6. Si la batalla del orden ha sido ganada antes de que los hijos lleguen a la adolescencia, los padres podrán ocupar su tiempo e invertir su atención en las cuestiones que son vitales en esa crítica edad juvenil.
7. Lo anterior no significa que el orden deje de ser importante en la adolescencia. Por el contrario, sin esa base previa el desarrollo de las demás virtudes se hará más difícil.

Donde no hay orden no hay virtud.

TRABAJO EN EQUIPO

Léase y analícese el siguiente caso. A continuación propóngase algunas posibles soluciones del mismo.

LA FAMILIA MÉNDEZ

La familia Méndez vive en la ciudad de Monterrey. Está compuesta por Andrés, el padre, María, la madre, y cuatro hijos.

Virginia es una muchacha simpática e inteligente, aunque muy floja en lo que a los estudios se refiere, si bien este último año ha mejorado. Cursa el quinto año de preparatoria y tiene dieciséis años. Según su mamá, Virginia tiene muy mal genio.

Ana, de trece años, tiene una enorme fuerza de voluntad. No es tan inteligente como los demás, pero se supera en sus estudios realizando un gran esfuerzo. Es muy ordenada, lo que no es muy común en la casa: siempre tiene cada cosa en su lugar y se enoja cuando alguien utiliza algo suyo sin su permiso. Se lleva muy bien con Virginia y siempre se acompañan a dondequiera que van.

Javier es un niño vivo, alegre, simpático, travieso y divertido. Tiene doce años y estudia el segundo año de secundaria. Es muy inteligente, pero no rinde; según sus profesores, sólo aprovecha el cincuenta por ciento de su capacidad. Se limita a aprobar y a sacar algún ocho. Le gusta mucho hacer trabajos manuales: aviones, barcos, etc.; por esta razón sus padres lo inscribieron en la casa de la cultura, donde le fomentan todo tipo de actividades similares y aprende algunas artesanías.

Maribel tiene ocho años y es la más pequeña de la familia. Tal vez sea la más inteligente de todos, pues es muy avispada. Sabe manejar a la gente hasta conseguir lo que se propone. Es muy cariñosa y posiblemente recibió demasiados mimos en sus primeros años, de forma que está acostumbrada a obtener todo lo que quiere.

Andrés, el padre, trabaja como jefe de ventas en una empresa textil. Pasa la mayor parte del tiempo fuera de casa. Sale a las ocho de la mañana, regresa a las dos a comer, y luego vuelve a salir a trabajar a las cuatro para regresar, algunos días, hasta las diez de la noche, lo cual significa que ve muy poco a sus hijos. Muchos días no va a comer a la casa y a menudo tiene que hacer algún viaje. A pesar de todo, es una persona que se da mucho a su familia: los sábados y domingos los dedica casi por completo a ella, pues no tiene, además de su trabajo, ninguna otra distracción especial. No sabe negarles nada a sus hijos y suele darles todo lo que le piden si le parece razonable. Por eso, tal vez, exige también cierta correspondencia y en ocasiones se enoja cuando no la encuentra. Andrés es una de esas personas que ha luchado mucho por conseguir lo que ahora tiene, y no admite, por ejemplo, que alguno de sus hijos repruebe en la escuela. Andrés, por lo demás, no reconoce cuando algo se ha hecho bien, es decir, no sabe o no quiere decir algunas palabras de felicitación ante un trabajo bien hecho: unas buenas calificaciones, un detalle de cariño o una buena obra. Ello es porque cree que al actuar bien los demás sólo están cumpliendo su obligación. Es una de esas personas que se exige mucho a sí misma y le exige a los demás en la misma medida.

Andrés suele levantarse a las seis de la mañana todos los días para ir al trabajo. Antes de salir de casa despierta a los niños, pues éstos entran a la escuela a las ocho. Virginia asiste a una escuela que está en las afueras de Monterrey, de modo que tiene que abordar el camión a las siete y media. Javier, Ana y Maribel van a una escuela que está cerca de su casa.

Despertar a los Méndez es toda una historia. Hace falta llamarlos por lo menos cuatro veces. A Javier es necesario salpicarlo con agua para que se dé cuenta de que se tiene que levantar. En más de una ocasión ha perdido el camión y, consecuentemente, su puntualidad en la escuela es cada vez más baja. Sus padres dicen que es inútil intentar cualquier otra cosa. No obstante, últimamente Javier se esfuerza por levantarse más temprano y parece que lo consigue de vez en vez.

María procura estar ya levantada cuando sus hijos se van a la escuela, para despedirlos y ver si les falta algo. Cuando regresan, ella los espera. María trabaja durante unas horas en la mañana en un taller de cerámica.

El horario de las comidas es un auténtico lío. Cada uno tiene su hora para comer y no hay forma de que coincidan.

Cuando Andrés llega a su casa, las dos niñas más pequeñas están terminando de comer y se levantan para darle un beso.

—Hola, papá.
—¿Qué tal la escuela, hijas?

Pero, antes de recibir una respuesta, Andrés se da cuenta de que algo está fuera de su lugar. A veces se calla, pero otras, cuando no está de humor, dice:

—¿Quién dejó eso tirado?

A menudo no obtiene respuesta.

Cuando se sienta a comer, Andrés enciende la televisión. Dice él que ese es el único momento que tiene para verla, de modo que la televisión siempre está encendida durante la comida. Cuando Andrés se va de nuevo a la fábrica, deja a María viendo la película de la tarde.

Durante la comida María se preocupa de preguntarle por sus asuntos: la fábrica, las ventas, etc. Siempre se muestra atenta a todos los detalles.

A las seis de la tarde, por lo general, todos los hijos se encuentran en casa. Entonces cambia todo en diez minutos: de ser un remanso de paz, la casa de los Méndez se convierte en un completo caos: libros por el suelo, mochilas, suéteres, lápices, etc. Siempre es un triunfo conseguir que los niños hagan la tarea pronto y no la dejen para el último momento.

Cuando María se siente cansada, siempre dice:

—Si su papá estuviera aquí, no harían esto.
—Bueno, mamá, contigo es diferente.

Otro momento difícil es cuando hay que mandar a bañarse a Javier y después a Maribel. María tiene que repetírselo y repetírselo, hasta que, cansada de hacerlo, lo consigue.

El padre suele llegar a las ocho de la noche, excepción hecha de los dos días a la semana en que llega a las diez. Cuando llega se produce el mismo recibimiento que al mediodía y, a menudo, los mismos comentarios.

Todos preguntan entonces:

—Mamá, ¿qué humor tiene hoy mi papá?

Varía mucho la forma de comportarse de todos según sea el estado de ánimo del padre. Por supuesto, antes de que él llegue se ordena en general toda la casa, aunque siempre queda algo desperdigado por el suelo.

Andrés siempre ve la televisión durante la cena. A veces cenan todos juntos y de vez en cuando platican entre sí, pero, como sea, no se fomenta mucho el diálogo a menos de que haya ocurrido durante el día algo notable.

Andrés y María suelen hablar por las noches de cómo van sus hijos y, en general, de todo un poco. Pero por lo regular, por no decir siempre, la conversación se enfoca a lo negativo, es decir, a ver solamente los problemas y en consecuencia, a culparse mutuamente de lo que sucede: Andrés le dice a María que ella no es capaz de conseguir que los niños sean ordenados. María llora en ocasiones y los hijos se dan cuenta de ello. Andrés ya la ha desautorizado en alguna ocasión, ante todos sus hijos, permitiendo algo que ella había prohibido.

María suele tener paciencia en estas ocasiones, pero a veces no puede aguantar más y se echa a llorar saliendo de la habitación en la que está reunida toda la familia.

Durante la época de vacaciones todo es diferente, cuando salen de Monterrey para visitar a los abuelos que viven en un poblado cercano.

Parece como si dejaran sus problemas en la ciudad. Todos se muestran más amables y simpáticos. No hay malos humores ni enojos. Esto suele durar hasta veinte días, aproximadamente. Después, cuando regresan de sus vacaciones, todo vuelve a ser otra vez lo mismo: chillidos, mal humor, nerviosismo por parte de todos, y falta de paz y de armonía familiar.

COMENTARIOS DEL CASO

El caso presenta la situación de una familia con hijos de 8 a 16 años de edad. El padre, que ha tenido que luchar mucho en la vida, está embebido en las cuestiones del orden y del estudio. La madre está más preocupada por las cuestiones de convivencia familiar.

Se describe a cada uno de los hijos: su modo de actuar y sus relaciones con los demás. En las diferentes situaciones descritas encontramos una referencia constante a las virtudes humanas.

Posibles objetivos

1. Destacar algunas virtudes humanas de los padres y la relación que guardan con la actuación de los hijos.
2. Analizar los valores en función de los cuales permanece unida esta familia.
3. Considerar la aparente contradicción entre lograr instaurar el orden y alcanzar una convivencia feliz en familia.
4. Discutir, si padres e hijos están desarrollando la laboriosidad y qué conductas lo muestran.
5. Reflexionar sobre los efectos que las situaciones de tensión presentes en el caso, y puede tener cada miembro de la familia.

Posibles preguntas

1. ¿Qué relación existe entre la actuación de los padres y el modo de actuar de los hijos?
2. ¿Cuáles son las virtudes más desarrolladas en esta familia? ¿Por qué?
3. ¿Es compatible fomentar la virtud del orden con una convivencia feliz en la familia? En este sentido, ¿qué es lo que ocurre en esta familia?
4. Los miembros de esta familia, ¿son laboriosos o no? ¿Cuáles son los criterios para saber si una persona es laboriosa?
5. Las situaciones tensas que se van presentando en el relato, ¿son significativas o no? ¿Por qué?
6. ¿Se puede decir que existe amistad entre los miembros de esta familia? ¿Por qué?
7. ¿Cuáles son los aspectos más positivos del presente caso?

INFORMACIÓN BÁSICA

Para dirigir la discusión de este caso hace falta un conocimiento amplio respecto a la educación de las virtudes humanas, aunque conviene estudiar de modo especial las siguientes: orden, laboriosidad, generosidad y amistad. Conviene, asimismo, aclarar lo que es el *justo medio* en relación con la virtud del orden: cómo debe complementarse con la alegría y con la generosidad. También cabe insistir en el concepto de laboriosidad, en el sentido de que no sólo se aplica al trabajo profesional, sino también al cumplimiento de otras clases de deberes.

Es aconsejable estudiar los temas: *etapas de la educación de los hijos,* y *carácter y personalidad* para tenerlos presentes al comentar las situaciones problemáticas que se describen en este caso.

Séptima parte

Educación de la libertad y medios de comunicación

El riesgo de la libertad

Objetivos:

1. Obtener una noción clara de lo que supone la libertad, tomando en cuenta diversas concepciones de la misma.
2. Reflexionar sobre la forma en que, mediante las elecciones que se hacen, "la persona se modela a sí misma".

Esquemas de apoyo didáctico:

Esquemas 1 y 2.

Desarrollo del tema (50 min):

El riesgo de la libertad.

1. Educación y libertad.
2. ¿Qué es la libertad?
3. Saber elegir.
4. Libertad y libertinaje.
5. ¿Hasta dónde llega la libertad?
6. Conquista personal.
7. El conflicto de la libertad humana.
8. Conclusión.

Descanso (20 min).

Trabajo en equipo (20 min):

Encontrar la respuesta a esta pregunta: ¿Para qué somos libres?

Sesión plenaria (10 min):

Lluvia de ideas y conclusión por parte del grupo.

Esquema de apoyo didáctico

Esquema 1:

La libertad es un riesgo y su principal guía es la educación. Hay que saber escoger lo mejor entre diversas opciones.

¿Qué es lo mejor? Lo mejor es lo que:

1. Afina tus capacidades.
2. Facilita el dominio y la conservación de la naturaleza.
3. Lleva a conocer la verdad y a amarla.
4. Libera y no esclaviza, al contrario del vicio.
5. Lleva a apreciar la belleza y el arte.
6. Facilita vivir con más dignidad.
7. Eleva el espíritu.
8. Te hace mejor persona.
9. Beneficia a los demás, no sólo a ti.

¿Por qué elegir es también renunciar?

Si tengo sólo una moneda, puedo elegir entre comprar un helado, participar en un juego, comer una torta, un elote o un pastel. Cuando elijo alguna de estas cosas renuncio a las demás porque ya no tengo más dinero.

Esquema 2:

LAS DOS CARAS DE LA LIBERTAD

Libertad: elijo, decido y realizo.

Responsabilidad: asumo las consecuencias de mi elección.

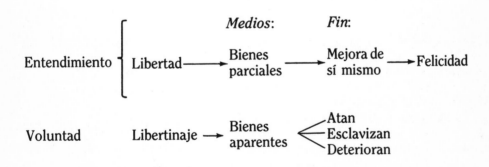

Libertad: fuerza que elige entre los diferentes bienes el que conduce al fin último.

EDUCACIÓN Y LIBERTAD[1]

La libertad es un regalo preciosísimo, pero no es un valor en sí misma.

La libertad es un medio para conseguir un fin.

Del buen o del mal uso que se haga de ella dependerá el que se convierta en un bien o en un arma peligrosa.

La educación, en su sentido más amplio, está íntimamente relacionada con la libertad. Educar es *educar la libertad*, y educar la libertad es preparar para la vida.

Los padres tienen el derecho natural de educar a sus hijos, y son ellos quienes reciben las más grandes satisfacciones y alegrías cuando sus pequeños comienzan a valerse por sí mismos, a conquistar sus primeros ideales y a conseguir lo que se proponen por su propio esfuerzo trátese de pequeños o de grandes triunfos. Pero entonces, también, es cuando los padres se dan cuenta de que sus hijos no les pertenecen; de que han sido sólo el instrumento para que ellos *sean*. Por su parte, los hijos serán cada día más en la medida en que se les ayude a conquistar la verdadera libertad, que es la que los llevará a la conquista de sí mismos.

Por lo general, se educa obedeciendo a la intuición natural, guiándonos ante todo por el sentido común (nada despreciable) y por las tradiciones y los valores inculcados en el seno de la propia familia. Pero, ¿qué sucede en una sociedad tan enferma como la nuestra, en la que el sentido común ha dejado de ser común y en la que vemos desmoronarse uno a uno esos principios que parecían ser tan firmes cuando los aprendimos siendo niños?

Valdría la pena, por lo que se refiere a nuestra tarea de educar y de educarnos en la libertad, comenzar desde el principio y preguntarnos una vez más: ¿qué es el hombre?, ¿cuál es su misión? Y, de acuerdo con ello, formular la cuestión: ¿cuáles son los fundamentos de la libertad?

Este punto de partida es básico, pues del concepto que nos formemos del hombre dependerán varias consecuencias prácticas. Es indispensable, también, conocer nuestro fin, la meta hacia la que nos dirigimos. Si de pronto, al despertar, nos encontrásemos en un tren en marcha, ¿cuál sería nuestra reacción? Seguramente le preguntaríamos de inmediato a otro pasajero: "¿Adónde se dirige este tren? ¿Quién me ha puesto aquí? ¿Cuál será la próxima parada y cuál la estación final?"

Pues bien, tenemos que saber adónde vamos para descubrir el sentido de la libertad. Si desconocemos nuestra procedencia y nuestro destino, estaremos omitiendo una información fundamental.

La libertad es riesgo, un riesgo peligroso que debemos reducir en lo posible mediante el arma poderosa y muy eficaz de la educación.

---

[1] Basado en P. Fernández Cueto, *¡Libertad! ¿Para qué?*, Minos, México, 1989.

La libertad es un riesgo porque en su ejercicio el hombre puede equivocarse. Si la libertad consiste en elegir lo mejor entre dos o más opciones, es precisamente en esta elección en la que nos podemos equivocar. Pero hemos de procurar equivocarnos lo menos posible, ya que una persona será más libre cuanto menos se equivoque y más se empeñe en escoger lo mejor. A veces, además, aún cuando uno se equivoque existe la posibilidad de rectificar.

Pero, ¿qué es lo mejor?

Lo mejor es aquello que realmente beneficia a una persona y a los demás. Es decir, lo mejor es:

1. Aquello que nos hace ser mejores personas.
2. Aquello que nos ayuda a crecer en nuestras diversas facultades.
3. Aquello que no nos limita ni nos esclaviza.
4. Lo que no nos deteriora como personas y nos hace ser mejores padres, mejores alumnos, mejores maestros, mejores ciudadanos, etcétera.

Como dice el proverbio inglés: "Podemos llevar los caballos al abrevadero, pero no está en nuestras manos hacerles beber."

Una vez que se han considerado las posibilidades y las condiciones del individuo conviene considerar, asimismo, el riesgo que implica la libertad.

¿QUÉ ES LA LIBERTAD?

La libertad es una realidad indiscutible, innegable. El suyo es uno de esos conceptos difíciles que, ya sea que los entendamos o no, es preciso vivir. El profesor Oliveros Otero define la libertad como "la energía interior que nos abre al mundo de las cosas y al mundo de las personas. Al mundo de los cosas para dominarlas y utilizarlas, y al mundo de las personas para amarlas".[2]

Aristóteles afirma que "el hombre libre es dueño de sí mismo" (*Metafísica*, 1, 2). Spinoza tiene una concepción naturalista o mecanicista de la libertad. Dice: "Una cosa es libre cuando existe por la sola necesidad de su naturaleza, y no está determinada a obrar sino por sí misma" (*Ética*, 1, def. VII).

Para Sartre, la libertad es absurda, ya que es la indeterminación absoluta. Afirma que la libertad tiene por fundamento a la misma nada que es el hombre.

Un autor mexicano escribe: "El hombre puede hacer de su vida lo que le dé la gana, pero sólo tiene una vida para hacerlo." Y añade: "La libertad no se logra liberándose de algo, sino teniendo la capacidad de ser libre para algo; no se logra con la mera liberación, sino con el proyecto."[3]

[2] Otero, *Orientación familiar. La libertad en la familia*, EUNSA, Pamplona, 1982, p. 26.
[3] Carlos Llano, *Las formas actuales de la libertad*, Trillas, México, 1983, p. 27.

Si la libertad se concibe como liberación de ataduras, entonces los conceptos de libertad e independencia resultan intercambiables, al grado de identificarse entre sí: el hombre será más libre cuanto mayor sea su independencia. De este modo, la libertad humana y el hombre se absolutizan: aquel que no depende de nada ni de nadie será un hombre desligado de todo.

Por este camino se llega a la idolatría de la libertad, magnificándola al extremo de convertirla en una utopía. El hombre absolutamente libre es un imposible. Pero precisamente por perseguir afanosamente esta libertad inexistente el hombre se desvía del camino de la libertad concreta y real.[4]

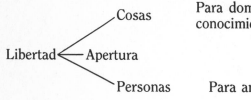

Libertad — Apertura

Cosas — Para dominarlas o utilizarlas mediante el conocimiento amoroso.

Personas — Para amarlas.

La realidad es que cada uno es dueño de su vida: existen decisiones, y decisiones importantes, que dependen íntegramente de cada persona y que irán definiendo el rumbo de su propia existencia. Además, esas decisiones tendrán consecuencias en la vida de los demás.

Llega un momento (por lo común durante la adolescencia) en que se intensifica vigorosamente la conciencia de la libertad, lo cual suele producir, casi siempre, una considerable sensación de angustia. Es la época de las decisiones trascendentes importantes: "¡Vivo, me doy cuenta de que vivo y de que soy libre! ¿Qué voy a hacer con mi vida?"

Es la época de las grandes angustias porque el hecho de la libertad se experimenta en carne propia y con su consecuente responsabilidad intransferible, si es que hasta entonces se ha tomado la vida en serio.

La libertad es tan compleja como el hombre y tiene distintas dimensiones que conviene analizar.

Existe una libertad física, la libertad de actuar, de desplazarse de un lado a otro sin obstáculos, es decir, la libertad del pájaro.

La autonomía física es una dimensión de la libertad humana: la poseemos en mayor o a menor grado según diversas posibilidades corporales y circunstanciales.

Aun cuando la libertad física es tan importante, ella se refiere sólo a las facultades exteriores de la persona, y no afecta necesariamente su esencia espiritual. Así, una persona encadenada o en prisión, o una persona minusválida, pueden conservar su libertad interior.

Un ejemplo típico de esto lo encontramos en el capítulo XLIX del *Quijote*: Sancho ha sido nombrado gobernador de la ínsula Barataria cuando sorprende a un chiquillo que viene corriendo con aire sospechoso. Después de

[4] *Cfr. Ibid.*, p. 30.

interrogarlo, y habiéndolo encontrado culpable, lo condena a dormir una noche en la cárcel, a lo que el joven responde con gran desparpajo: "Por más poder que vuestra merced tenga, no será bastante para hacerme dormir en la cárcel [. . .] si yo no quiero dormir y estarme despierto toda la noche sin pegar pestaña, ¿será vuestra merced bastante con todo su poder para hacerme dormir si yo no quiero?"[5]

La carencia de libertad física no nos impide crecer en libertad interior; sin embargo, el desarrollo adecuado de la primera puede favorecer considerablemente al crecimiento de la libertad espiritual.

Cuando la libertad física se pone al servicio de las potencias espirituales, el hombre puede experimentar un desarrollo insospechado.

La libertad interior trasciende al hombre mismo. Es la llamada libertad psicológica o libre arbitrio y se refiere a la posibilidad de elegir entre diversas opciones.

En palabras de Jacques Maritain: "Es la raíz misma del mundo de la libertad; es una realidad que nos es dada con nuestra naturaleza racional; es un bien que poseemos sin haberlo conquistado."[6]

Semejante capacidad de elección, así entendida, representa la posibilidad de escoger. Vivir es tener que elegir todos los días: nuestro quehacer consiste en seleccionar.

Sin embargo, no debemos elegir cualquier cosa. Una definición latina muy precisa plantea la libertad como la capacidad de elegir los medios, conservando su ordenación a un fin determinado.

La elección se ejerce en los medios, pues el fin es algo que escapa a nuestra decisión por cuanto ya nos ha sido dado.

Somos creaturas limitadas y nuestro ser es indefinidamente perfectible.

La realización de nuestro ser, como la de todos los valores, es la tarea que se nos ha asignado. Como alguien bien dijera. "Somos, es decir, no todo lo tenemos por hacer; pero somos libres, es decir, no todo lo tenemos hecho."

Muchos piensan que el fin del hombre es la felicidad. En efecto, existe un deseo universal de poseerla. ¡Ser feliz! He aquí la gran inquietud y el más grande anhelo del hombre de hoy y del hombre de siempre. Se quiere ser feliz a toda costa y a cualquier precio, pero no siempre se sabe cómo.

Sucede, empero, que la felicidad no puede buscarse por sí misma, ya que no es un objeto de elección. ¿Quién no desearía ser feliz?

Algo semejante ocurre en las carreras de galgos. Estos veloces animales, sumamente ágiles y entrenados para cazar, despliegan sus mejores esfuerzos al correr desesperadamente tras una liebre ficticia que nunca alcanzarán.

La felicidad es sólo una consecuencia, el gozo inmenso que se experimenta en el alma cuando voluntaria y libremente hemos sabido elegir lo más conveniente.

La felicidad se conquista cuando no se le busca directamente. Quien pro-

---

[5] Miguel de Cervantes Saavedra, *El ingenioso hidalgo don Quijote de la Mancha*, El Mundo, 1900, p. 410.
[6] J. Maritain, *Humanisme intégral*, Mirabeu, París, 1936, p. 98.

cura la felicidad de los demás, es decir, el que ama, encuentra en esta donación de sí la máxima complacencia.

La felicidad se alcanza cuando se ha sabido escoger el mejor bien, el bien mayor, aun cuando esa elección haya implicado esfuerzo y sacrificio.

SABER ELEGIR

Una cosa es tener libertad; otra muy diferente es ejercerla, y otra más es ejercerla bien. Para ejercer correctamente la libertad hay que aprender a elegir.

Elegir implica siempre prescindir de algo o renunciar a ello. De aquí la importancia de elegir bien.

Aprender a elegir es aprender a renunciar, y ello sin contar con que siempre existe la posibilidad de equivocarse, de no escoger lo más conveniente o lo mejor. Sin embargo, no tenemos más remedio que ejercitar esa capacidad de elección, pues dejar de escoger "es haber elegido no elegir". No se puede evadir la libertad.

A elegir se aprende eligiendo, tomando decisiones y equivocándose, aunque casi siempre cabe la posibilidad de rectificar. La capacidad de error forma parte de la condición humana.

Sin embargo, afortunadamente no sucede con el hombre lo que reza el dicho popular: "Árbol que crece torcido jamás su tronco enderezará." Claro que se puede y se debe rectificar cuanto sea necesario y una vez que se ha reconocido, con humildad, se ha errado. Por ello se afirma también: "Es de sabios cambiar de opinión."

A los niños hay que darles la oportunidad de elegir desde que son muy pequeños por medio de elecciones proporcionadas a su edad y graduando el riesgo que implica ejercer su libertad. Ésta puede ensayarse en la elección de sus juegos, de su ropa, de sus amigos, de sus diversiones, etc. Y si a veces se equivocan, entonces hay que enseñarles a rectificar y a seguir adelante. Sus pequeños fracasos les enseñarán poco a poco a saber elegir y a ser consecuentes con la decisión que hayan tomado.

¡Qué importante es ampliar, con un poco de imaginación e iniciativa, el campo de nuestras elecciones para que encontremos mucho más de dónde elegir! Si ponemos en juego nuestra capacidad de esfuerzo sabremos presentar lo positivo en forma atractiva con objeto de facilitar su elección.

No sólo a los niños se les dificulta tener que elegir. ¡Qué difícil les resulta, en ocasiones, a los adultos tomar decisiones! Si fuera posible, no prescindiríamos de nada. Sin embargo, hay que escoger y, por tanto, hay que aprender a renunciar.

Es en esta limitación tan humana, tan nuestra, donde podemos encontrar nuestra mayor grandeza. porque somos libres podemos ir forjando día con día nuestro destino y marcando el rumbo de nuestra vida.

Con sus actos, la persona se modela a sí misma.

LIBERTAD Y LIBERTINAJE

Somos libres y, por tanto, responsables. Responsabilidad y libertad son las dos caras de una sola moneda.

La libertad responsable en el hombre es la elección inteligente del bien.

Sólo hay libertad donde hay fuerza para vencer el mal.

Cualquiera otra elección que no se dirija a un auténtico bien no será fruto de la libertad, sino del libertinaje, el cual es la enfermedad de la libertad, el abuso de esa facultad.

Dado que somos libres tenemos la terrible posibilidad de elegir el mal (las más de las veces por debilidad). Sin embargo, esta elección libre del mal no *libera*, antes bien nos ata o esclaviza a otro (llámese moda, pandilla, droga, sexo, etc.), sometiéndonos a un yugo muy difícil de evadir.

¿Qué es lo que sucede actualmente en nuestra sociedad y, en especial, en la juventud de todo el mundo?

Se habla mucho de libertad y se exige, a menudo rechazando las consecuencias de los propios actos, "liberándose" de todo lo que estorba y supone esfuerzo: se acepta el gozo de la unión íntima en el matrimonio, pero no así los hijos; se quiere vivir bien y holgadamente, pero sin trabajar demasiado, etc. Esta mentalidad acomodaticia y este gusto por lo fácil se reflejan incluso en las cosas más intrascendentes: se quiere adelgazar, pero sin pasar hambre; o se quiere aprender inglés en sólo tres semanas.

¡Cómo se olvida que nada grande se ha hecho en el mundo sin esfuerzo, y que las batallas siempre han sido ganadas por soldados aguerridos!

El libertinaje presenta diversas facetas y tiene lugar siempre que se hace mal uso de la libertad o se abusa de ella.

Una de las equivocaciones más frecuentes en la época actual consiste en equiparar los términos *libertad* e *independencia*, al grado de emplearlos como sinónimos.

Según lo anterior, el hombre libre sería aquel que no dependiera de nada ni de nadie, lo cual es imposible. Basta con recordar nuestra condición humana, cuya indigencia nos lleva a necesitar a los demás.

Por tanto, la libertad no ha de confundirse con el desarraigo o la independencia, sino que ha de realizarse asumiendo noblemente nuestros compromisos. Como bien lo dijo un pensador europeo: "Liberemos al hombre de todas sus raíces y le haremos presa de todos los vientos."

No se es libre por haberse "liberado" de todo vínculo o atadura, sino porque se ha sabido escoger de entre todos los compromisos que nos solicitan, aquellos que son más nobles y dignos de ser amados. En pocas palabras: somos libres de escoger de quién queremos depender.

El compromiso de la libertad encuentra su razón de ser en el amor, no en la independencia. Así como la libertad del esposo está condicionada por el amor que le tiene a su mujer así la libertad de la mujer está limitada por el amor que le tiene a su marido y, de igual manera, la libertad de los hijos está condicionada por el amor que representa la autoridad de sus padres, etcétera.

¿HASTA DÓNDE LLEGA LA LIBERTAD?

Para crecer en la libertad hay que conocer sus límites. ¿Hasta dónde llegan éstos?

Hay quienes deslumbrados por esta fuerza poderosa que encuentran en ellos mismos pretenden tener una libertad absoluta.

Otros, en cambio, al experimentar frustaciones y limitaciones dentro y fuera de su propio ser, terminan negándola.

La realidad es que somos libres de una manera limitada porque estamos insertos en una realidad física. La nuestra es una libertad a la medida de nuestro ser, es decir, situada y encarnada.

"Partimos de una libertad con muchas limitaciones, y también —conviene decirlo— con muchas posibilidades".[7]

La materialidad de nuestro cuerpo nos limita en el tiempo y en el espacio, de tal manera que el hoy y el ahora es lo único con que contamos para edificar nuestra propia vida.

Estamos limitados a un espacio concreto; nos hallamos sujetos a leyes físicas, como la ley de la gravedad, y sometidos a influencias ambientales diversas, como la temperatura, el esmog, la altura, etcétera.

Por otra parte, el desgaste natural del cuerpo va minando poco a poco nuestra salud, por lo que diariamente necesitamos recuperar las fuerzas perdidas mediante el alimento y el sueño.

¡Cuántas veces hubiéramos querido trabajar las 24 horas del día! Pero caemos rendidos por el cansancio.

Contamos además con un físico determinado que nuestros padres y abuelos nos han heredado: estatura, color de la piel, belleza o fealdad, buena o mala memoria, etc., todo lo cual también, de alguna manera, nos influye y, en este sentido, somos como somos: "Genio y figura hasta la sepultura."

Una de las limitaciones sociales más negativas es la manipulación que coarta de modo terrible la libertad. La manipulación pretende dominar a las personas, por lo general con fines lucrativos o con tendencias ideológicas diversas, evitando que reflexionen y haciéndoles creer que están actuando libremente. Con este objeto se utilizan palabras ambiguas o se juega con el significado de las mismas. Por ejemplo: el amor se identifica con el sexo, la libertad se hace aparecer como absoluta independencia y el placer se ofrece como sinónimo de la felicidad.

Así, en tanto que la educación se fundamenta en ideas claras en la reflexión y en la lucha por la superación personal, la manipulación, por el con-

[7] Otero, *Educación y manipulación*, Mino, México, 1989, p. 54.

trario, explota las tendencias más bajas (instintos y pasiones desordenadas) recurriendo a la ambigüedad de los eslóganes y fomentando comportamientos incongruentes.

Todo cuanto hemos mencionado (el tiempo, el espacio, nuestro aspecto físico, nuestro carácter y temperamento, las exigencias de la sociedad, la manipulación, etc.) podrá limitarnos en el ejercicio de la libertad, pero nunca será determinante.

Por un lado nos encontramos sometidos a elementos biológicos y, por el otro, a elementos ambientales y sociales por no mencionar nuestras limitaciones personales. Y sin embargo ¡somos libres!

CONQUISTA PERSONAL

Esta conquista se centra en una buena elección respecto a la cual somos capaces de actuar en consecuencia. La capacidad de elección de cada persona debe concretarse en la decisión y, acto seguido, en la realización de lo que se ha decidido.

Llegamos así al terreno de la libertad interior, que es la que se conquista mediante el propio esfuerzo en el ámbito de la intimidad personal, día a día y procurando superar aquello que nos ata o esclaviza. Esta libertad es la que le permite al hombre autotrascenderse y convertir en *buena* o *mala* su propia persona. ¡Qué tremenda posibilidad!

Puesto que esta libertad es una respuesta a los valores, se encuentra íntimamente relacionada con la búsqueda de la verdad y con la posesión del bien, las cuales constituyen las máximas aspiraciones del ser racional.

Todo hombre busca la verdad y no le satisface otra cosa.

La famosa "edad de los porqués", en los niños, no es sino el despertar de una inteligencia que persigue insaciablemente la verdad. Esta búsqueda no termina nunca.

Aun cuando un hombre no desea servir a la verdad, desea que la verdad le sirva a él: "conocemos a quienes les gusta engañar, pero a ninguno le gusta ser engañado". No hay nada más relacionado con la libertad que la verdad; y el error, el engaño o la mentira, son distintas formas de esclavitud. Dice Solyenitzin: "Si no vamos a la verdad nos equivocamos radicalmente y después ya no hay retorno."

Una señora insistía para que sus hijos dijeran siempre la verdad.

—Yo sí sé lo que es verdad —contestó un niño que no pasaba de los cuatro años—; la verdad es lo que pasó.

La verdad es la realidad, y cualquier hombre con mente sencilla y abierta es capaz de conocer y juzgar la realidad tal como ésta es:

La verdad no la crea ni la inventa el hombre: simplemente la descubre.

Toda la realidad ha sido confiada como una tarea al entendimiento y a la capacidad cognoscitiva del hombre en la perspectiva de la verdad, la cual debe ser buscada y examinada hasta que aparezca en toda su complejidad y simplicidad de conjunto [. . .] tal responsabilidad caracteriza a un hombre espiritualmente maduro.[8]

Este compromiso de honradez intelectual por conocer la verdad es un reto para la humanidad entera y un medio indispensable para crecer en la libertad.

EL CONFLICTO DE LA LIBERTAD HUMANA

No basta con orientar la mente hacia la verdad. Una condición no menos importante es vivir de acuerdo con los principios o ideas claras que pueden traducirse en comportamientos congruentes: "si no vives como piensas acabarás pensando como vives".

La conquista del bien es algo que nos entusiasma y enamora, ya que el destino del corazón humano es poseerlo; sin embargo, ¡cuántas limitaciones experimenta la libertad interior para alcanzar ese bien tan deseado! Ello se debe a nuestra debilidad, la cual nos lleva a conformarnos, con bienes mezquinos, en lugar de aspirar a otros mucho más nobles y elevados.

Desarrollar las capacidades que nos ayudan a conquistar el bien es desarrollar las virtudes. Éstas proporcionan una buena dosis de dinamismo espiritual, que es una dimensión indispensable de la libertad.

¿Cuántas limitaciones no encontramos, precisamente debido a una falta de energía o de educación de la voluntad cuando descubrimos que no somos ordenados, constantes sobrios, alegres o veraces; en pocas palabras, al percatarnos de que no somos dueños y señores de nuestra voluntad?

El poeta Ovidio se expresaba en estos términos: "Veo lo mejor y lo apruebo, pero hago lo peor." ¿Qué pasa aquí? Advertimos un desequilibrio interior, una falta de congruencia. ¿Se trata acaso de una perturbación o de un trastorno de nuestra naturaleza?

El hombre no actúa sólo con la inteligencia y la voluntad. También se ve impulsado por su afectividad sensible: deseos, reacciones emocionales (entusiasmo, alegría, tristeza). Los sentimientos, las emociones y los estados de ánimo no son en el hombre movimientos meramente instintivos, como sucede con los animales. La vida espiritual influye sobre nuestra vida sensitiva y le otorga determinadas características, y también sucede a la inversa.

A la educación de la libertad le corresponde el empeño por orientar las pasiones.[9]

---

[8] Otero, *op. cit.*, p. 57.
[9] Entre las pasiones figuran: el amor, el odio, el deseo, el gozo, la tristeza, la esperanza, la desesperanza, la audacia, el temor y la ira.

No se trata de reprimirlas, sino de integrarlas en una vida orientada a los valores verdaderos.

CONCLUSIÓN

Todos, sin excepción, tenemos deseos inmensos de libertad y, sin embargo, el mundo camina confundido y la paz se contempla la más de las veces como algo remoto.

¿Para qué queremos entonces, ser libres? ¿No hubiera sido mejor carecer de libertad para evitar el riesgo de equivocarse, el peligro de herir a los demás y la posibilidad de frustrar la propia existencia?

¿Cuál es, por ende, la profunda razón de la libertad, aquello que la justifica a pesar de todos los horrores y de todos los errores que no son sino el fruto del mal uso que hacemos de ella?

Lo único que en definitiva nos proporciona una respuesta satisfactoria es el *amor*: si un hombre no es libre no puede amar, y una vida sin amor es una vida sin sentido. El amor es la actividad suprema de todo hombre: "Es el regalo esencial; todo lo demás que se nos da sin merecerlo se convierte en regalo, en virtud del amor."[10]

Éste es el sentido de la libertad, a saber, que una libertad sin amor no es concebible y tiene tan poco sentido como valor.

La libertad es para amar, para poder ser feliz amando y para hacer felices a los demás.

Hay que ser libre para amar y amar para ser libre.

El camino hacia la libertad es un camino muy arduo, y los pasos difíciles que hemos de dar para seguirlo son: verdad, justicia, servicio, humildad, renuncia y amor. Cuanto más se intente seguir adelante por este camino tanto más libre se será y sólo así la libertad dejará de ser un riesgo.

---

[10] *Cfr.* J. Pieper, *El amor*, Patmos, Madrid, 1972, p. 9.

La educación familiar a través de la televisión

Objetivos:

1. Reflexionar sobre la propia actuación respecto al uso de la televisión.
2. Definir algunos lineamientos para el uso educativo de la televisión.

Esquema de apoyo didáctico:

Esquema 1.

Desarrollo del tema (50 min):

La educación familiar a través de la televisión.

1. Introducción.
2. Algunos datos experimentales: Alemania.
3. Investigaciones en Estados Unidos.
4. Un posible programa para el uso de la televisión.
5. Lectura y cine.
6. Posibles objetivos.

Descanso (20 min).

Trabajo en equipo (20 min):

Elegir uno de los tres temas expuestos en las páginas 201-202 y en el esquema 1 para solucionar dichas cuestiones sobre el uso del televisor, sobre lecturas o sobre el juego.

Sesión plenaria (10 min):

Exponer y discutir las soluciones que se hallaron a las cuestiones planteadas.

Esquema de apoyo didáctico

Esquema 1:

$$\text{Ante la televisión} \left\{ \begin{array}{l} \bullet \text{ Selección.} \\ \bullet \text{ Dosificación.} \\ \bullet \text{ Sentido crítico.} \end{array} \right.$$

1. Cuestiones a decidir sobre el uso del televisor:

   a) ¿Cuál es el tiempo máximo que los niños que cursan primaria pueden dedicar a la televisión?
   b) ¿Qué se ha de hacer cuando el programa se torna inconveniente?
   c) ¿Qué se puede hacer cuando el padre y la madre no se ponen de acuerdo sobre los programas que pueden ver sus hijos?

2. Cuestiones a estudiar sobre las lecturas:

   a) ¿Cómo aumentar en los hijos la afición a las buenas lecturas?
   b) ¿Cómo lograr la autocensura en lecturas?

3. Objetivos a lograr con los juegos:

   a) ¿Cómo lograr que los hijos se interesen por el juego?
   b) ¿Cómo hacer que alcancen un equilibrio entre estudio, trabajo y juego?

INTRODUCCIÓN[1]

La televisión continúa fascinando al espectador. En algunos hogares la pequeña pantalla ocupa un lugar destacado. Por ello se han realizado algunas investigaciones que intentan evaluar la influencia de la televisión en la familia.

El comportamiento de los adultos no es siempre coherente al respecto. Hay padres que prohíben a sus hijos ver en exceso la televisión o ir al cine, pero ellos lo hacen constantemente. Y con esa conducta es fácil que desorienten a sus hijos.

A veces sucede que unos padres de familia no ven conveniente que sus hijos vean determinado programa debido a su violencia o a su maldad, y sos-

---

[1] Las cinco primeras secciones de este capítulo están basadas en A. Polaino-Llorente, "La educación a través de la televisión", en *Orientación familiar*, Departamento de Investigación del Instituto de ciencias de la Educación de la Universidad de Navarra, Pamplona, 1980, núm. 500.

tienen su decisión a pesar de las protestas. Pero como van a llegar de visita unos amigos de los papás, mientras se dispone el lugar en el que se les va a recibir, se le dice a los hijos. "Vayan a ver la televisión."

La prohibición de unos momentos antes se convierte así en una imposición para que los niños no molesten. No es que se les conceda ver el programa por razón de tolerancia, sino porque los adultos necesitan espacio para platicar.

Los niños, consiguientemente, son desterrados del mundo de los adultos. ¿Tan misteriosas son las cuestiones de las que éstos hablan que no conviene que los escuchen sus hijos? ¿Se defiende así a los niños de los programas nocivos o, más bien, no son los adultos los que se defienden de los niños?

ALGUNOS DATOS EXPERIMENTALES: ALEMANIA

Algunas investigaciones recientes ponen de relieve la importancia que la televisión ha ido adquiriendo en la educación familiar.

La comisión para el fomento del sistema técnico de comunicación de la que fuera República Federal de Alemania, mediante el departamento Kommunikationsverhalten und Buch (comportamiento de comunicación y libro), ha estudiado[2] el comportamiento que observan ante la televisión 137 familias durante 24 días. Las principales conclusiones a las que llegaron se sintetizan a continuación:

1. Cuanto más televisión se ve tanto menor es la calidad de la interacción y de la comunicación familiar.
2. Cuantos más programas ve una familia tanto más se desatienden los pequeños, pero no por ello menos importantes, problemas familiares.
3. Cuando los familiares seleccionan los programas de televisión que ven, aumenta la cohesión (o la unión) entre los miembros.
4. La unión familiar varía en proporción directa y en el mismo sentido que la intensidad con que los progenitores participan con sus hijos viendo programas infantiles.
5. Una medida eficaz para la educación familiar consiste en analizar los papeles, actitudes, etc., de los protagonistas del programa.
6. Si hay permisividad y no se seleccionan los programas de televisión con la familia, no aumenta la unión familiar.
7. Cuando la permisividad se generaliza, la familia no adopta como criterio el contenido de un programa para su elección. Lo que determina dicha elección son criterios viscerales: lo que me conviene, lo que se me antoja, lo que me interesa o lo que me gusta.

[2] D. Stolte, *Influjo de la televisión en el individuo y la sociedad,* Universitas, Madrid, 1980, pp. 177-187.

8. La televisión por sí sola —según una investigación realizada por la fundación Bertelsmann— es compatible (a pesar de lo que se haya dicho) con la afición por la lectura. En dicha investigación se demuestra que la frecuencia de la lectura depende, en primer lugar, de la formación recibida en la escuela; en segundo término, de la frecuencia con que los padres leen y, en tercer lugar, del número de libros existentes en el hogar. El tiempo dedicado a la televisión es una variable explicativa que ocupa un cuarto lugar en las causas de estos comportamientos.

INVESTIGACIONES EN ESTADOS UNIDOS

Otras investigaciones parecidas se han realizado en Estados Unidos.[3] A continuación se resumen las conclusiones que se obtuvieron de esas investigaciones.

1. El consumo infantil de televisión aumenta progresivamente de los tres a los 14 años y disminuye gradualmente de los 15 a los 18 años.[4]
2. La afición por la televisión en los hijos está en función del modo en que sus padres se comportan frente a este medio.[5]
3. Cuanto más jóvenes son los padres, más televisión le permiten ver a sus hijos.[6]
4. La edad de la madre es más decisiva que la del padre, por lo que se refiere a la conclusión anterior.
5. El tiempo que los hijos destinan a la televisión no se relaciona con el nivel socioeconómico de los padres (evaluado éste según los ingresos familiares).
6. En la medida en que la estimación del tiempo dedicado a la televisión, realizada por los padres, coincide con el tiempo real, los padres seleccionan los programas y los hijos controlan mejor su comportamiento al respecto.

[3] J. D. Abel, "The Family and Child Television Viewing", en *Journal Man and Family*, EUA, 1976, núm. 38, pp. 331-335.
[4] J. Leyle, "Television in Daily Life: Patterns of Use (overview)", en E. A. Rubinstein, G. A. Comstock, J. P. Murray (comps.), *Television and Social Behavior*, EUA, 1972, núm. 4, p. 225.
[5] H. A. Stein y cols., "Impact of TV on Children and Youth", en E. A. Hetherington (comp.), *Review of Child Development Research*, University of Chicago Press, Chicago, 1975, núm. 5, p. 129.
[6] A. R. Hollenbech, "Television Viewing Patterns of Families with Young Infants", en *The Journal of Social Psychology*, EUA, 1978, núm. 38, pp. 259-264.

UN POSIBLE PROGRAMA PARA EL USO DE LA TELEVISIÓN

Hasta aquí nos hemos referido a las consecuencias, relativamente negativas, generadas por el consumo y el abuso de la televisión en el ámbito familiar.

A continuación se citan algunos de los principios fundamentales en torno al uso de la televisión como un medio más de orientación familiar.

1. Los programas deben seleccionarse en el hogar. En la medida de lo posible, todos los miembros de la familia participarán en esta selección. El grado de participación estará en función de la edad y de la madurez de cada uno de los miembros de la familia, reservándose los padres el derecho de arbitrar y de decidir, en última instancia, sobre el programa seleccionado.

2. Toda selección debe realizarse según ciertos criterios. En el caso de la televisión, esos criterios pueden ser: contenido de los programas (deportivos, informativos, obras de teatro, etc.), aficiones, horario familiar (muy probablemente no resultará conveniente ver la televisión durante las comidas), posibilidad de que todos participen en esta reunión familiar, etcétera.

3. Convendría, sin embargo, que se seleccionaran los programas según la variedad de sus contenidos y según una relativa periodicidad alternante. De esta manera se amplía la posibilidad de satisfacer todos los intereses, los cuales deben ser compartidos por todos los telespectadores de la familia.

4. Un elemento que puede influir decisivamente en la comunicación familiar es la presencia de la madre en estas reuniones. Es común, al menos en México, que la madre esté ausente mientras sus hijos ven televisión. Sería conveniente que la madre pudiera acompañar al resto de la familia a ver los programas de televisión, aunque sus muchas tareas y ocupaciones, parezcan impedírselo, podría intentar solucionar el problema por medio de la participación y la ayuda de todos los miembros de la familia en los quehaceres.

5. Ver un determinado programa puede ser una buena ocasión para intercambiar impresiones entre padres e hijos. La ausencia de la madre en esos instantes puede condicionar su incomunicación sobre los problemas y las opiniones de sus hijos, ahondando así la brecha generacional y el alejamiento personal.

6. Convendría suscitar en forma amable el diálogo entre padres e hijos al finalizar un programa. No se trata de convertir las sesiones de televisión en una especie de cineclub familiar. Sin embargo, parece oportuno que al concluir una película, por ejemplo, se apague el televisor y se converse cordialmente sobre lo que se acaba de ver. Importa más desencadenar estas conversaciones después de un programa que hablar peyorativamente de la televisión en general y/o molestar a los televidentes con comentarios negativos durante la trasmisión del programa.

7. A modo de ejemplo se exponen algunos temas sobre los que pueden conversar padres e hijos.

a) Valoración del desempeño de los actores.
b) Análisis del guión cinematográfico.
c) Valores positivos y negativos implicados en cada protagonista.
d) Modo en que el guionista resuelve los conflictos.
e) Otros desenlaces posibles.
f) La secuencia que más gustó y por qué.
g) La secuencia que más desagradó.
h) Paralelismo e incidencia de ese programa en la sociedad contemporánea.
i) Contradicciones y aciertos, etcétera.

Estas sesiones pueden llevarse a cabo con algunos de los hijos o con todos ellos, e incluso con los amigos de éstos, de manera que la abundancia de distintos puntos de vista resulte más enriquecedora.

Los argumentos en que se apoyan las distintas opiniones pueden tener una importancia fundamental en la formación de los hijos. De este modo, la familia, precisamente gracias a la televisión, puede y debe abrirse a un diálogo mucho más amplio con la sociedad de nuestro tiempo.

La permisividad o, por el contrario, el total rechazo a la televisión, además de perturbar la formación de los hijos, puede condicionar, en el futuro, ciertos comportamientos desadaptados.[7] Una solución para este problema será aquella que, centrándose en los aspectos positivos de este medio, lo acepte como un importante elemento de la educación familiar. Por otra parte, se trata de un elemento irrenunciable en la actualidad, de manera que debe encauzarse para optimizar el comportamiento de todos y cada uno de los miembros de la familia.

LECTURA Y CINE

También conviene que los padres tengan en cuenta algunas normas indispensables en relación con algunas otras de las ocupaciones preferidas por los adolescentes en su tiempo libre: las lecturas y el cine.

Respecto a las lecturas, es conveniente que estén informados en todo momento del tipo de libros, revistas, etc., que leen sus hijos. Existe siempre el riesgo de que caigan en manos de estas publicaciones perjudiciales (por ejemplo, las que propagan ideologías de tipo totalitario o las que atentan contra la moral). Esto exige de los padres criterios para saber distinguir lo que puede formar o deformar a sus hijos. Lo prudente es asesorarse por personas con formación científica y moral, tanto sobre los libros que están leyendo los hijos como sobre los que conviene que lean en el futuro.

Es bueno fomentar la afición por la lectura, pero procurando que ello se

[7] A. Polaino Llorente, *Televisión y drogodependencia y aprendizaje social*, Rialp, Madrid, 1980, p. 12.

haga con criterio y sentido crítico. Estos últimos se desarrollan en la medida en que los padres no se limitan a prohibir los libros perjudiciales. Deben explicarse las razones que desaconsejan una lectura.

En relación con el cine, un objetivo a lograr es que los hijos aprendan a elegir películas con un criterio bien formado.

Es preciso evitar, por ejemplo, que acudan a un cine determinado simplemente porque a él van los amigos, porque exhiben la película de moda, porque en ella interviene tal artista o porque está cerca de casa.

Las películas deben elegirse teniendo en cuenta los valores artísticos y morales, para lo que es necesario preocuparse por obtener información previa (con personas confiables, leyendo la crítica cinematográfica o consultando las clasificaciones morales).

Los padres deben facilitar a sus hijos dicha información y proporcionarles criterios tanto antes como después de ver la película. En este sentido, es aconsejable comentar en familia las películas que vieron los hijos. Para ello, puede ayudar acompañarles de vez en cuando al cine.

Estos mismos criterios se aplicarán cuando se renten videos de películas para verlos en casa.

POSIBLES OBJETIVOS

Con las siguientes consideraciones se pretende presentar un esquema de los posibles objetivos y cuestiones a resolver sobre la televisión, las lecturas y el juego.

1. Televisión. Como posibles objetivos a conseguir se podrían citar los siguientes:

   a) Proporcionar una ampliación de conocimientos generales.
   b) Enriquecer el vocabulario.
   c) Juzgar con criterios más amplios que los de la propia experiencia.
   d) Desarrollar la capacidad crítica mediante los comentarios, por parte de los padres y maestros, de los programas televisados.

Cuestiones a decidir sobre el uso del televisor:

1. ¿Qué hacer si, después de haber permitido a los hijos ver un programa, los padres descubren que es perjudicial para ellos?
2. Cuando en la casa viven otros adultos (los abuelos, por ejemplo) con criterios diferentes sobre el uso de la televisión, ¿cómo resolver el conflicto?

   a) Lecturas. Posibles objetivos a conseguir:

- Incrementar la cultura.
- Desarrollar la expresión escrita, especialmente el vocabulario y la redacción.
- Estimular la creatividad y la fluidez en el modo de expresarse.
- Dar respuesta a los intereses personales y a la sana curiosidad.

Problemas sobre las lecturas:

1. Existe poco interés en la lectura y, cuando los jóvenes leen, eligen los *comics* u otras lecturas de contenido cultural muy pobre.
2. Los muchachos que desean leer de todo, sin control ni orientación.
3. El precio de los libros y la escasez de buenas bibliotecas.

    a) *Los juegos*. Entre los objetivos que pueden lograrse, figuran los siguientes.

- Ayudan al desarrollo de muchas funciones físicas y psíquicas (como la inteligencia y la imaginación, entre otras).
- Ponen a prueba diversas capacidades. El juego permite percibir los aspectos mentales, afectivos, motores y sociales del niño.
- Son un medio de expresión y de expansión de energías.

Problemas relacionados con las cuestiones materiales:

1. Falta de campos deportivos en la colonia o en el barrio.
2. Falta de espacio en la casa.
3. No saber jugar o, por el contrario, querer dedicarse sólo a jugar.

Índice analítico

La publicación de esta obra la realizó
Editorial Trillas, S. A. de C. V.

División Administrativa, Av. Río Churubusco 385,
Col. Pedro María Anaya, C.P. 03340, México, D. F.
Tel. 6884233, FAX 6041364

División Comercial, Calz. de la Viga 1132, C.P. 09439
México, D. F., Tel. 6330995, FAX 6330870

Se terminó de imprimir y encuadernar el 27 de mayo de 1998,
en los talleres de Rotodiseño y Color, S. A. de C. V.
ILL BM2 100 RW